# Le cœur à deux places

# DU MÊME AUTEUR

# FRANÇOISE DORIN

# Le cœur à deux places

Roman

Plon

© Plon, 2006.
ISBN : 2-259-20304-3

# Préface

A l'heure de :
La télé-réalité.
La radio-débat.
La presse-scalpel.
L'autobiographie-révélations.
La biographie-déballage.
Le pamphlet-règlement de comptes.
A l'heure du vécu tranché et servi frais, la romancière
— en l'occurrence, moi — s'interroge : l'imaginaire
peut-il rivaliser avec le concret ? Le non-dit avec le dit
tout ? La pudeur falote avec l'impudeur flamboyante ?
Le point de suspension avec le point sur les i ? La litote
avec le mot cru ? Le roman, construit sur des sentiments
et des faits réchauffés au micro-ondes de la mémoire,
avec des caméras vérité fouillant au-delà du visible et de
l'imaginable ?
Perplexe devant ces questions, j'ai décidé d'écrire une
histoire vraie. Une histoire dont j'ai été la confidente
(réjouie), le témoin (intrigué), la complice (fortuite).
Je l'ai écrite en collaboration avec ma « co-habi-
tante », une femme sans âge qui squatte ma tête par
intermittence, que je considère comme une espèce de
sœur jumelle et que j'appelle d'ailleurs « ma jum' ». J'en
raconterai peut-être l'histoire un jour...
Mais ça... ça sera un roman.

# Chapitre 1

Ces trois-là...

Normalement, leurs chemins n'auraient jamais dû se croiser !

Rien qu'à leurs noms, on s'en rend compte :

Paulette Tonneau.

Gilles Fleury de La Rivandière.

Victoria Vitto.

Paulette ? Triplement complexée par ses origines — limite Zola —, par sa naissance — limite Dickens — et par son nom — limite Feydeau.

Dans son village natal de la vallée d'Auge, à l'heure du café-calva, les pochetrons du coin rigolent : « Chez les Tonneau, toutes les femmes sont filles mères de mère en fille ! »

Enfant, Paulette serre les poings. Ecoute. Se tait. Regarde. Attend d'être seule pour dire à son miroir : « Plus tard je serai reine d'Angleterre ! »

Adolescente, Paulette a de l'ambition à revendre et, de la tête aux pieds, tout ce qu'il faut pour ne pas manquer d'acheteurs !

Gilles ? Comme Paulette, triplement complexé... mais pour des raisons opposées : complexé de la particule. De l'argent. Du désert familial. Fils unique du baron Arsène, veuf joyeux et gestionnaire rigoureux d'un important patrimoine immobilier, Gilles envie les autres... qui eux l'envient.

Enfant, il appelle son chien « SOS » et lui confie : « Plus tard, je voudrais être deuxième Jésus ! »

Adolescent, transfiguré par l'intérêt que lui manifeste le sexe féminin, Gilles devient un stakhanoviste de la galipette, mais avec une fleur bleue dans le préservatif !

Victoria ? Suisse italienne de naissance, elle a grandi dans les couloirs des ambassades entre un père diplomate tout-terrain, une mère irréprochable toutes catégories, deux sœurs et deux frères aînés qui, comme leurs parents, l'ont toujours traitée de OTNI (Objet turbulent non identifiable). Il lui en reste une aversion viscérale pour le mariage et pour la famille.

Enfant, enfermée dans le carcan du protocole et de la bonne éducation, Victoria dit : « Plus tard, je serai moi. »

Adolescente, au lendemain de sa majorité, elle devient effectivement ce qu'elle est : un électron libre.

# Chapitre 2

Ces trois-là...

Comment les ai-je connus ?

Paulette ? Par hasard, le 15 août 1965.

Ce jour-là, comme tous les ans, je suis passée avec mon mari d'alors à la Trinquette (Bistrot. Dégustation. Vente) afin d'y acheter quelques bouteilles de pommeau, spécialité locale, et d'y écouter Augustin, le pittoresque tenancier, dans sa revue de presse des potins du village suivie de ses « longues de comptoir ».

Mais ce jour-là, quand j'ai franchi la porte de la Trinquette, Marguerite, la dévouée serveuse, pousse un cri d'horreur. Pas à cause de moi ! Non ! A cause d'une douleur aussi aiguë que signifiante : sa première contraction de future mère. J'étais la seule femme dans le bistrot. J'ai pris la direction des opérations. Quatre-vingts minutes plus tard, dans l'entrepôt, derrière la Trinquette, sur le lit de camp où parfois Augustin s'offrait une petite sieste, naissait un bébé de sexe féminin entre les mains d'une vieille et gaillarde voisine « qui en avait vu d'autres » et sous mes yeux éblouis qui n'en avaient jamais vu... du moins sous cet angle-là.

Marguerite m'a proposé d'être la marraine. Sous le coup de l'émotion, j'ai accepté. L'émotion passée, j'ai appris sans enthousiasme que ma filleule porterait le nom de sa mère : « Tonneau ». Se prénommerait Paulette, en souvenir de son géniteur Paul, mort sept mois plus tôt, après avoir un peu trop arrosé l'annonce de sa future paternité. Mort, ivre mort, écrasé par un camion qui transportait... de l'eau minérale ! Ce dont tous les « gosiers secs » du village firent des gorges chaudes, bien entendu !

Je n'ai pas été une marraine exemplaire. Je me suis contentée d'envoyer tous les ans à ma filleule un cadeau pour Noël et de lui en apporter un autre pour son anniversaire. A celui de ses dix-sept ans, elle était absente. Sa mère Marguerite m'apprit qu'au terme d'une médiocre classe de seconde, couronnant de médiocres études, Paulette avait décidé d'entrer dans le monde du travail. Par quelle porte ? Celle d'une maison de retraite, en plein bocage normand, où son arrière-grand-mère avait longtemps travaillé comme femme de ménage avant d'y être admise comme pensionnaire, en récompense de ses longs et loyaux services.

Pendant un an, serpillière au pied, torchon à la main, sourire collé aux lèvres et l'oreille collée aux portes, Paulette est confrontée à toutes les fragilités de l'âge : physiques, morales, mentales. Apparemment compatissante et profondément indifférente, elle est plébiscitée par les pensionnaires, prêts chacun à lui payer en cachette l'illusion d'être son préféré. C'est ainsi qu'à chaque béquille ramassée, à chaque tache lavée, à chaque oubli réparé, Paulette apprend que la faiblesse rend volontiers généreux. Elle pressent là un filon à exploiter. Elle se met alors à dévorer les rubriques des offres d'emploi de tous les journaux locaux et nationaux. Quelques jours avant ses dix-huit ans, le 8 août 1984, elle en repère une qui sort de l'ordinaire et qui « l'attire comme un aimant ». Néanmoins, sur les conseils de sa mère qui a confiance en mon jugement — uniquement parce que j'ai du sang normand dans les veines ! —, ma filleule me téléphone et soumet à ma prudence héréditaire sa petite annonce « magnétique » :

« Cherche de toute urgence une personne de confiance, en bonne santé physique et morale pour s'occuper d'un octogénaire handicapé, irascible et exigeant. Appelez à n'importe quelle heure M. Gilles. » Suivait un numéro de téléphone dont l'indicatif numérique était celui du Calvados.

J'ai pensé que l'auteur de cette annonce avait une franchise rassurante et entériné sans hésitation l'intuition de ma filleule. Mais j'étais loin d'imaginer qu'elle serait aussi déterminante dans sa vie... et aussi rapidement. Paulette non plus ne se voyait pas si vite figurer dans le palmarès des gagnants, le matin où...

Rebaptisée Paule, droite dans ses ballerines, mais tordue côté boyaux, elle se rendit à l'adresse indiquée par son éventuel employeur : « Le Grognard ». Lieudit Les Violettes.

Il s'agissait d'un manoir offert par Napoléon, ainsi que le titre de baron de La Rivandière, au général Fleury, l'un de ses fidèles compagnons d'armes. Paulette franchit de plus en plus tremblante la grille du parc, passa, sans s'arrêter comme il lui avait été recommandé par téléphone, devant la maison des gardiens, aux aguets derrière leurs rideaux, compta chacun des cent dix-sept pas qui la conduisirent au perron et les neuf marches qui la conduisirent à la porte d'entrée, ornée d'un heurtoir à l'effigie de l'Empereur. Elle hésitait encore sur son emploi, quand la porte s'ouvrit.

Elle s'attendait à voir une caricature d'aristo avec morgue, monocle, bottes et badine... elle vit un vieux jeune homme (Gilles avait trente-deux ans depuis le 1er janvier) dans l'uniforme classique des ados : jean-baskets-T-shirt). Pas beau, mais avec dans ses regards — insistants —, dans sa voix — chuchotante —, dans ses sourires — indéchiffrables —, une visible volonté de séduire qui finissait par le rendre séduisant.

Lui, s'attendait à voir Bécassine ou plutôt la mère de celle-ci, solidement plantée dans des chaussures de curé. Or il vit... Mary Poppins, en plus sérieux, en plus sombre, en plus frêle.

Gilles, en quelque sorte « déçu en bien », comme disent les Vaudois, pensa aussitôt qu'elle allait être affolée autant par les vociférations que par les exigences de son père et qu'à la première occasion, elle partirait, en prenant ses jambes à son cou... ses jambes de gazelle, à son cou de cygne. Néanmoins, pressé de rejoindre une incandescente créature à Saint-Tropez, il engagea Paule sur-le-champ, la suppliant quoi qu'il arrive de tenir le coup jusqu'à son retour. Elle le lui promit. Le lui jura même... sur la médaille de la Vierge épinglée à son chemisier blanc comme une décoration. Malgré cela, Gilles partit inquiet. Presque à contrecœur. Tous les jours, il lui téléphona, craignant d'entendre le pire, et tous les jours raccrocha, soulagé, reconnaissant, étonné d'avoir entendu le meilleur.

Paule, décidément intuitive, flaira tout de suite la bonne place et s'arrangea pour la garder. Elle calma très vite l'agressivité du vieux baron Arsène en employant le robinet à compliments comme une pompe à morphine : à chaque mouvement d'humeur, elle lui injectait une dose de « Jamais je ne rencontrerai un homme comme vous ! » ou de « Vous avez dû en faire des conquêtes ! » ou « Moi, je vous écouterais pendant des heures ! ».

Et de fait, elle l'écoutait pendant des heures... admirative, émerveillée... et comme d'habitude superbement indifférente.

Admiratif, émerveillé, Gilles le fut à son retour au manoir. Mais lui, pour de vrai. Il se demanda comment l'innocente jouvencelle avait réussi à dompter son paternel rugissant. Et à son tour, sans le moindre soupçon se laissa, comme papa, engluer dans le miel louangeur. D'abord dans l'aile gauche du manoir occupée à plein temps par le père et l'aile droite occupée sporadiquement par le fils. Puis en octobre, entre les deux étages de l'immeuble parisien de la Plaine Monceau où le père occupait le cinquième étage et le fils le quatrième.

Gilles, collectionneur d'aventures par goût, par besoin et par complexes, se laissa prendre comme un puceau au classique jeu du « Cours après moi que je t'attrape » que lui joua très adroitement Paule. Elle gagna la partie haut la main grâce à un « Bas les pattes », ferme et définitif... jusqu'au lendemain de ses vingt ans, jour où Gilles l'épousa à la mairie, puis à l'église de Fleurville.

Etaient présents tous les villageois. Les hommes plus ou moins médusés. Les femmes plus ou moins envieuses. Et puis : Marguerite Tonneau, la mère de Paule, toujours serveuse à la Trinquette, Gervaise Tonneau, sa grand-mère, toujours bonne chez monsieur le curé ; Léontine Tonneau, sortie pour la circonstance de la maison de retraite où tout avait commencé ; Augustin, le patron de la Trinquette, parrain de Paule et moi-même, accidentellement sa marraine.

Manquait à cette assemblée le baron Arsène, incapable de supporter l'idée que son « dernier rayon de soleil » allait devenir sa « foutue garce de bru ». A l'instant où les nouveaux mariés sortaient de l'église, Paule rayonnante d'orgueil, Gilles attendrissant de naïveté, l'octogénaire seul dans sa chambre aux volets clos arrêta son fauteuil roulant devant un grand miroir et trinqua avec son image, une coupe de champagne à la main et un revolver sur la tempe.

Il but et tira.

Au nom d'une bienséance élémentaire, la toute nouvelle baronne Paule Fleury de La Rivandière imposa à Gilles Fleury — son modeste mari — de différer leur nuit de noces.

Hélas, le principe de précaution qui incite « à reculer pour mieux sauter » fut néfaste en la circonstance.

Le désir de Gilles, refoulé pendant quatre jours, s'exprima le cinquième à plusieurs reprises avec une rapidité regrettable... sinon regrettée. L'ennui de Paule s'exprima, lui, en bâillements déguisés en extase dans le creuset de l'oreiller. Huit mois plus tard, sans aucun sens des convenances, naquit un garçon : Arnaud.

Quand je vins à la maternité voir le nouveau-né, je surpris sa mère dans la salle des prématurés, devant sa couveuse, en train de l'appeler « mon verrou de sûreté » avec plus de reconnaissance que de tendresse.

Cinq ans plus tard, naquit Agathe que Paule me présenta, elle, dans son appartement de la Plaine Monceau (celui du cinquième) comme étant sa « bouée de sauvetage ! ». Appellation qu'elle justifia en m'apprenant qu'elle avait provoqué la conception de l'enfant avec l'espoir de retenir Gilles alors qu'il était sur le point de la quitter pour — tenez-vous bien — une syndicaliste aussi fougueuse dans les meetings que dans les lits !

La grossesse que Paule annonça à son mari juste après le délai légal d'avortement freina ses velléités de départ mais ne les supprima pas. Les nausées et le ventre rond de Paule, encore moins. C'est seulement après l'accouchement que Gilles commença à hésiter entre les halètements de la sirène militante et le gazouillis de la minisirène désarmante. Finalement, comme Paule l'avait prévu, la couche-culotte triompha de la CGT !

Armée de sa précieuse indifférence, Paule écarta avec maestria toutes les difficultés rencontrées en général par les maris doublement coupables d'avoir trompé leur femme irréprochable et quitté leur incomparable maîtresse.

Paule comprit tout. Pardonna tout. Consola de tout.

Gilles s'apaisa. Se réconcilia avec lui-même. S'attendrit sur elle. La remercia. Plus exactement crut la remercier... en lui réservant à nouveau l'exclusivité de ses prouesses sexuelles. Depuis le temps que ça ne lui était pas arrivé, Paule avait oublié. Mais elle s'est vite souvenue ! C'est à cette époque qu'elle surnomma Gilles le « bonobo » ! Un dictionnaire spécialisé m'apprit qu'il s'agissait d'une espèce de singe aux érections innombrables et aux éjaculations expéditives. Ma filleule, elle, m'apprit qu'elle n'avait rien d'un bonobo femelle et qu'elle ne se sentait plus capable de jouer à son époux la cantate de la divine extase avec la célèbre montée chromatique allant du « Oh » (en mineur) au « Ah » (en majeur). En conséquence, elle lui fournit — mine de rien — quelques maîtresses-Kleenex, pratiques, jetables, qu'elle appela ses « suppléantes ». Mais, au bout d'un certain temps, Gilles, soucieux d'éviter un nouveau typhon adultérin, préféra se contenter des modestes zéphyrs conjugaux.

Malheureusement, même ces zéphyrs conjugaux furent bientôt insupportables à Paule. Elle fut la première à le regretter car vraiment, en dehors de « ça »,

Gilles était un compagnon idéal. Rendez-vous compte : un homme qui croit toujours qu'il a quelque chose à se faire pardonner ! Et en plus, qu'on invite partout ! Qui a de l'argent ! Des relations ! Une carte de visite façon laissez-passer et un carnet d'adresses façon *Who's Who* ! C'est vrai qu'en dehors des frontières du sex-land, elle l'aimait bien, son Gilles. Elle y tenait. Pas question de le lâcher.

C'est ainsi qu'un jour, elle en vint à me demander si par hasard je ne connaîtrais pas un moyen pour le garder... sans cet « inconvénient ». Pour plaisanter, je lui suggérai cette solution :

— Il faudrait qu'il attrape les oreillons !

— Pourquoi ?

— Il paraît que ça rend les hommes impuissants.

— Oh... je ne savais pas. Et les femmes ?

— Quoi les femmes ?

— Il n'y a pas une maladie qui les rende...

— Impuissantes ?

— Non, mais, inaptes, intouchables, inabordables...

— Interroge ta gynéco !

— Bonne idée !

Deux jours plus tard, j'appris non par ma filleule, mais par Gilles, désolé, que cette « pauvre Paule » souffrait d'un prurit vaginal qui lui interdisait tout rapport pour un temps indéterminé !

Renseignement pris, c'était leur voisine en Normandie et à Paris qui avait établi le diagnostic et prescrit le traitement : le docteur Florence Frémont, gynécologue aussi réputée et aussi bisexuelle que son dermato de mari !

Le prurit s'installa au foyer de la baronne et du baron.

Les « suppléantes » revinrent et se succédèrent sans heurt.

Paule prit peu à peu l'habitude de les évoquer avec une souriante résignation.

Gilles lui fut reconnaissant de sa généreuse compréhension.

Ils se félicitèrent de l'amicale complicité qui les liait.

Ils n'eurent plus d'enfants.

Ils vécurent heureux.

Jusqu'au jour où...

# Chapitre 3

Victoria Vitto croise leur route... droite, sinon lisse, à Chamonix. Les quatre La Rivandière s'y trouvent pour les vacances de Noël.

Gilles avec une suppléante dans les parages.

Paule avec son prurit.

Arnaud avec les boutons d'acné de ses dix-sept ans.

Agathe avec physiquement et moralement tous les stigmates de l'âge ingrat.

Victoria, elle, se trouve à Chamonix en tant que bénévole d'une association dont le but est de déceler et de développer chez les jeunes handicapés un goût ou un don artistique afin de leur donner une raison d'être heureux... « quand même ». Ces deux mots en forme de défi sont devenus leur nom : ils sont les « quand même ». En abrégé les QM et leur association : l'AQM. Victoria y consacre le plus clair de ses loisirs en animant un groupe passionné de théâtre. Elle en a amené une partie à Chamonix : six parmi les plus mobiles. La municipalité leur a prêté la salle des fêtes de la mairie pour un gala de bienfaisance qui doit avoir lieu le 31 décembre, au bénéfice de l'association. L'après-midi, ils y répètent; le soir ils discutent et retravaillent dans le gîte rural où ils sont logés, un peu en dehors de la ville. Le matin, Victoria, très bonne

skieuse, s'octroie la griserie de quelques descentes soli-
taires pendant que les QM, en compagnie de deux de
leurs mentors parisiens, font de la luge ou fabriquent
des bonshommes de neige... auxquels ils disent leur
texte et qui sont en somme leurs premiers spectateurs.

Arnaud et Agathe sont les seconds. Ils sont intri-
gués, intéressés, amusés par ces adolescents si proches
d'eux et pourtant si différents. Ils lient connaissance.
Ils sympathisent. Ils parlent à leurs parents de leurs
nouveaux copains et...

Le 31 décembre Gilles et Paule, traînés par leurs
enfants, assistent au gala des QM. Ils sont heureusement surpris par la qualité de la représentation et le
talent des participants. A la fin, ils suivent sans
contrainte leurs enfants dans les coulisses improvisées ;
complimentent tous les artistes qui, eux, rendent tous
hommage à leur coach.

— Qui est-ce ? demande Gilles.

— « Vit-Vit ! le clown malgré lui ! »

— Ah ! il est merveilleux ! Où est-il ? Je serais ravi
de le féliciter.

— Là ! crie une voix derrière un paravent. Je finis
de me démaquiller. Attendez-moi ! J'adore les compliments. J'arrive !

A ces mots le paravent se replie et le clown apparaît .
sans sa perruque, sans son faux nez, sans son maquillage, sans son costume énorme.

Paule, Arnaud, Agathe, stupéfaits, et Gilles, ébloui,
découvrent une espèce de Giulietta Masina au charme
insolite et percutant. De « Ça alors », en « C'est
incroyable », de « Mais comment ? » en « Mais pourquoi ? », les quatre La Rivandière se retrouvent au gîte
rural devant deux fondues — une au fromage et une
bourguignonne — à fêter la Saint-Sylvestre avec
l'équipe des QM.

Et c'est là, en cette veille du 1ᵉʳ janvier où Victoria va étrenner ses trente-six ans et Gilles ses quarante-huit, qu'éclate entre eux un de ces coups de foudre apocalyptiques dont j'ai parfois été la confidente mais jamais la bénéficiaire... ou la victime ! Paule non plus.

Pourtant, quand elle m'a téléphoné une semaine après son retour de Chamonix, elle a été formelle : le coup de foudre, ça existe. Elle a vu avec une évidence indiscutable celui qui brusquement est tombé sur Gilles et Victoria. Sur le moment, ça l'a plutôt réjouie : avec une « suppléante » comme Victoria, elle était sûre d'être tranquille pour un bon moment !

Mais voilà que huit jours plus tard, elle s'inquiète. Du propre aveu de son mari, le feu qui s'est allumé à Chamonix entre Victoria et lui s'étend comme un incendie de forêt sous le vent d'une passion force 240... au moins ! Lui-même est surpris par l'intensité et surtout l'ampleur de son embrasement. Tout s'est enflammé : le cœur, l'esprit et bien sûr... le corps.

Une fois de plus, Paule joue sans se forcer les épouses compréhensives : « Je t'ai trop aimé pour ne pas comprendre qu'une autre t'aime ! » Les épouses sublimes : « Je préfère te voir heureux avec une autre que malheureux avec moi ! » Les épouses complices : « Pour que les enfants ne s'étonnent pas de tes absences, je leur ai dit que tu avais des ennuis dans tes affaires. »

Gilles n'est pas un ingrat. Il prouve sa reconnaissance à Paule en étant encore plus facile à vivre que d'habitude et encore plus généreux.

Tout bien pesé, Paule trouve beaucoup plus d'avantages que d'inconvénients à avoir un mari coupable.

Jusqu'au jour où...

# Chapitre 4

En février, avant les congés scolaires que Gilles devait passer avec sa petite famille à l'île Maurice, il annonce un peu gêné à Paule qu'il restera à Paris... « pour des raisons que tu devines ».

Paule renâcle : Gilles est un très bon compagnon de jeu pour ses deux ados. Sans lui, elle va être obligée de se taper les parties de ping-pong avec Arnaud et les parties de croquet avec Agathe.

— Evidemment, me dit-elle avec un cynisme j'espère inconscient, ça va me permettre de culpabiliser mon coureur de mari et de jouer les mères délaissées qui...

J'achève sa phrase :

— Qui tiennent sur leurs frêles épaules le lourd édifice familial.

— Voilà !

— Sans compter, entre nous, que la mer, le soleil, la plage, ce n'est quand même pas le bagne !

— D'autant moins que Flo — tu sais, Florence Frémont — m'a proposé de prendre la place de Gilles.

— Ah bon ?

— La place d'avion, je veux dire.

— Ah bon...

En mars, je fais la connaissance de Victoria à la Fête du Livre de Limoges. Elle occupe dans le même stand que moi la place voisine de la mienne. Je ne l'ai jamais vue et pourtant je n'ai aucune surprise quand elle m'accueille mains tendues et se présente, brute de décoffrage :

— Je suis la sectaire qui déteste votre filleule et l'impartiale qui est dingue de son mari.

— Vraiment ravie de vous connaître.

— Dans ce cas, moi aussi !

— Excusez-moi, je ne savais pas que vous écriviez.

— Je n'écris pas. Je décrypte l'écriture des autres.

— Vous êtes graphologue en quelque sorte ?

— Oui, et je viens de publier un fascicule où j'ai réuni les analyses graphologiques d'une dizaine de grands écrivains.

— Intéressant !

Aussitôt elle m'en offre un après me l'avoir dédicacé avec une franchise peu courante : « L'amie de mon ami ne peut être que mon amie... à condition quand même que je devienne la sienne ! »

Je lui réponds par une dédicace de mon dernier livre avec une franchise égale à la sienne : « Merci de m'avoir montré que les coups de foudre existaient aussi en amitié. La mienne donc, spontanée et immédiatement disponible. »

Elle m'a remerciée exagérément avec des mimiques de clown.

J'ai salué cérémonieusement comme un prêtre bouddhiste.

A chacune sa pudeur. A chacune son trompe-l'œil.

Mais hors émotion nous nous sommes révélées des bavardes pluridirectionnelles. Pendant le déjeuner, nous tutoyant déjà comme de vieilles copines, nous n'avons cessé de parler. De Gilles et Paule évidemment. Mais cherchant, à travers les jugements que nous portions sur eux — souvent identiques —, à nous découvrir, nous apprendre, nous comprendre.

Au vestiaire : changement de ton. Nous avons papoté mode, régime, produits de beauté, comme de vrais hommes... imitant des femmes !

Dans le car qui nous reconduisait à la Fête du Livre, nous avons devisé avec un excessif sérieux sur l'avenir de nos professions respectives. Comme de vraies femmes... imitant les hommes !

De nouveau installées à nos stands, nous avons poursuivi notre dialogue... parfois entre deux lecteurs, souvent avec eux. Victoria surtout. Elle était un vrai moulin à paroles. Et puis soudain, elle s'est tue. Son visage affichait : « Fermé à tout pour cause de bonheur. » Gilles venait d'arriver. Sûr de lui parce que sûr d'elle. Mieux que droit... redressé. Heureux et enfin sans honte de l'être.

Elle s'est levée d'un bond. Sûre d'elle parce que sûre de lui. Mieux que belle... embellie. Heureuse et fière de l'être.

Collés l'un à l'autre, ils justifiaient cette expression un peu galvaudée de nos jours d'amour fusionnel.

C'est à cet instant-là, sur cette image-là, que j'ai su qu'ils deviendraient les héros de mon prochain roman.

Nous avons quitté la Fête du Livre ensemble... mais séparément : eux devant avec leur éblouissante réalité. Moi derrière avec mon imagination déjà plus nuancée.

A la sortie, ils ne m'ont pas vraiment retenue. Gilles m'a dit avec humour en me montrant son cabriolet :

— Je ne vous propose pas de vous raccompagner à votre hôtel. C'est une voiture à deux places !

Victoria a enchaîné sur le même ton ironique :

— On ne t'invite pas non plus à dîner : tu serais fichue d'accepter !

On a ri tous les trois de bon cœur.

J'ai pensé qu'avec Victoria, Paule allait vraiment avoir du fil à retordre... et moi du grain à moudre pour mon roman !

Mais pendant le mois suivant, j'ai entendu au téléphone, régulièrement, ma filleule qui m'annonçait d'une voix sereine qu'elle n'avait rien à me signaler.

Alors, j'ai cru que je m'étais trompée et que je ferais mieux de chercher l'inspiration ailleurs.

Mais Cupidon, qui en réalité est beaucoup plus le dieu des écrivains que celui des amoureux, n'avait pas dit son dernier mot... Alors, j'ai repris ma plume... Et ma jum', sa place au-dessus de mon épaule !

# Chapitre 5

Le 12 avril — le jour de la Saint-Jules ! —, j'ai la preuve que Paule ment. Frime. Doute.

Le matin je reçois à mon courrier une carte postale du « Grognard », le bastion familial que Victoria rêvait d'investir. Côté correspondance, elle m'écrit au feutre rose :

Nous sommes étonnés de ce qui nous arrive
On ne peut croire encore
Que nos cœurs vagabonds, errant de rive en rive
Se soient choisi un port.
Pourtant, main dans la main,
On rêve d'un chemin,
Ensemble commencé qu'on finirait ensemble
Si ce n'est pas l'amour
Si ce n'est pas l'amour, Dieu que ça lui ressemble...

Sous ces quelques vers je découvre sans surprise mes initiales. Je les ai écrits il y a longtemps dans un état d'esprit et de cœur voisin bien sûr de ceux qui signent globalement « les deux tourtereaux » et séparément : « Gilles I$^{er}$, roi planant » et « Victoria 421, reine gagnante ! ».

Le soir, je rencontre Paule à la projection privée d'un film déjà très médiatisé et qui, de ce fait, a attiré un grand nombre de « people ». La salle est pleine. Je m'y trouve avec un ancien comédien de l'ombre devenu un échotier très en vue. Paule est assise devant moi. Seule. Je la présente à mon chevalier servant qui n'y prête aucune attention et à qui elle se croit obligée d'expliquer l'absence de Gilles :

— Le pauvre chou est au lit avec une gastrite.

— Ah.

Manifestement l'échotier s'en fiche éperdument. Moi j'ai l'œil qui frise. J'imagine Victoria en train de s'insurger avec la voix gouailleuse d'Arletty dans *Hôtel du Nord* : « Une gastrite ? Une gastrite ? Est-ce que j'ai une tête à m'appeler Gastrite ? »

En tout cas, Paule, elle, elle avait la tête à en couver une.

Fin mai, Paule craque. Elle débarque chez moi à l'improviste (preuve qu'elle ne va vraiment pas bien). Un jour férié... Un jour sans téléphone... sans courrier... sans visite, juste celle du fleuriste qui me livre une plante verte envoyée par ma fille : le rêve ! C'est la fête des Mères. Justement ! Paule est furieuse ! Ses enfants ne la lui ont souhaitée que du bout des lèvres, en partant avec leur père pour le Racing Club où les attendait leur habituelle bande de copains. Pour la première fois, pas le moindre cadeau. Pas le moindre bouquet de fleurs. Alors qu'ils descendaient l'escalier tous les trois (car depuis le règne de Victoria, Gilles ne prend plus l'ascenseur !), elle leur a crié du palier : « A tout à l'heure ! Je vous rejoindrai pour le déjeuner ! » Gilles lui a répondu sans même s'arrêter : « Si tu veux, mais moi, je ne serai pas là ! »

Ça, ce n'était pas la première fois. Plutôt la cinquantième. La centième fois. Il n'est plus jamais là. Si ! Dans la semaine, pendant que Mlle Vitto travaille et uniquement aux heures où les enfants sont là, car ça, il faut lui rendre cette justice, c'est un bon père. Mais sinon... il s'en va tous les soirs après avoir vu les gros titres des informations et le chiffre du Cac 40 sur LCI. Quelquefois même avant. Finis, les dîners en ville ! Finies, les soirées de gala ! Finies, les sorties, quoi ! Elle n'a plus une seule occasion de mettre ses robes du soir. Ni même de cocktail ! Leurs amis — ou assimilés — viennent insidieusement aux nouvelles : « On ne vous a pas vue chez les Untel... Vous n'êtes pas malade ? » Total : le nombre des cartons d'invitation a diminué. Pas beaucoup. Mais un peu. Bien sûr, il est possible que « des lettres s'égarent » comme le lui ont dit les deux attachées de presse auprès desquelles elle s'est étonnée, mais elle n'est pas très convaincue. Elle craint plutôt que son nom — enfin... leur nom — ait été rayé de certaines listes d'invités. Normal ! A force de voir Gilles avec l'autre...

Ah ! ça c'est nouveau. Jamais je n'ai entendu Paule appeler « l'autre » l'une de ses anciennes « suppléantes ». Celles-là, elle les appelait entre mépris et reconnaissance, « les mousmés », « les pétasses », ou « les nymphos ». Même la virulente cégétiste qui a provoqué la naissance d'Agathe, elle n'a été que « la sans-culotte ». Ce qui, paraît-il, avait amusé Gilles et avait agacé tellement l'intéressée qu'elle s'était mise en grève de l'oreiller pendant deux jours ! Un record pour elle et pour lui.

Victoria peut donc se vanter d'être en première exclusivité : « l'autre ».

Incontestablement, c'est pour elle une promotion. Pour Paule un signal d'alarme. Désormais, Victoria n'est plus dans les bagages de son couple le précieux coffret de dépannage. Elle est le colis en surcharge étiqueté « attention danger ».

En juin, un vendredi, alors que je m'apprête à passer la soirée avec mon jules préféré — je veux parler de Jules Renard —, le téléphone que j'ai mis prudemment sur répondeur sonne. J'écoute à tout hasard le message qu'on m'y dépose. Il est explicite : « C'est Paule. Si tu es là, réponds-moi. Je suis dans la merde ! »

Je décroche :

— Qu'est-ce qui se passe ?

— Avant de partir en week-end avec « l'autre », Gilles m'a annoncé qu'au mois d'août, pendant que les enfants seraient à Londres en séjour linguistique, il n'irait pas avec moi, comme prévu, à Djerba.

— Entre nous, ce n'est pas très grave.

— Attends la suite ! Il a joué les grands seigneurs tolérants et m'a proposé d'inviter pour le remplacer... un escort-boy !

— Et alors ? C'est plutôt gentil.

— Penses-tu ! C'est un piège ! Il cherche à me faire pincer en flagrant délit d'adultère.

— Qu'est-ce que tu racontes ? Il penserait au divorce ?

— En tout cas, « l'autre », elle y pense !

— Et pas toi ?

— Tu es folle ou quoi ? On est mariés sous le régime de la séparation de biens. Je me retrouverais sans appart, sans manoir, sans rien.

— Tu aurais une pension quand même... ne serait-ce que pour les enfants.

Elle rugit :

— Tu oublies qu'Arnaud sera bientôt majeur. Quant à Agathe... elle irait sûrement habiter avec son père !

J'essaye de la calmer. De la rassurer.

— Jusqu'à présent, Gilles n'a pas parlé de séparation. Il a juste parlé d'une petite trêve estivale. C'est toi qui en conclus qu'il a l'intention de te quitter.

— Je suis à peu près sûre de ne pas me tromper. Surtout depuis que je connais l'endroit où il a l'intention de prendre ses quartiers d'été avec « l'autre ».

J'imagine déjà toutes les niches paradisiaques vantées par les agences de voyages pour leur cure d'éroticothérapie et à tout hasard je lance :

— Acapulco ?

— Non ! s'écrie Paule, Trouville ! C'est pire !

Le premier instant de surprise passé, je l'approuve. Oui, elle a raison : il est beaucoup plus grave de choisir pour s'aimer le crachin normand, le caban-bottes, la bolée de cidre et la crêpe aux moules plutôt que le ciel bleu, le luxe, les palmes et la nudité, plus, à la carte : Viagra, cannabis et partouze !

Contente de ma compréhension, Paule ajoute :

— Si encore ils allaient dans un de ces baisodromes de la région, similichampêtres et foncièrement snobs, je ne m'inquiéterais pas trop. Mais non ! Ils vont loger chez l'habitant !

— Chez l'habitant ?

— Oui ! Chez une certaine Mme Vollard, qui a une grande baraque ouverte à tous les vents... et à toutes les fréquentations !

Je reste anormalement silencieuse en entendant le nom de cette logeuse que Paule prend pour une espèce de tenancière et qui est, en fait, une amie fort respectable de Victoria et une parente du chasseur de têtes avec qui elle travaille.

Par chance, Paule ne remarque pas mon silence prolongé et l'interrompt en m'avouant les craintes que lui inspire son avenir : le temps qui passe... ses rides autour des yeux... autour de la bouche...

Je me force à peine pour lui remonter le moral :

— Tu es folle ! Tu es encore très jeune et...

— Allons ! C'est toi qui me l'as appris : quand on est « encore » très jeune on ne l'est « déjà » plus tout à fait.

— Ça concernait des personnes plus âgées que toi et aussi moins épargnées.

— Je veux bien, mais de toute façon, un mari comme Gilles, crois-moi, ça ne court pas les rues ! Et puis, comme dit maman, mieux vaut tenir que courir.

— Alors... ferme les yeux, souris et attends. Ça passera... forcément ! Crois-moi, tout finit par passer... même mal, comme dirait l'autre !

Je comptais sur cette parole fataliste pour conclure notre conversation, mais ma filleule, décidément soucieuse, la poursuit :

— Tu n'as pas une autre solution à me proposer ?

— Non ! Mais je te promets de chercher... demain ! Car ce soir... j'ai quelqu'un qui m'attend.

— Un jules ? me demande ironiquement ma filleule.

— Oui, justement ! Un écrivain.

— Ah ben tiens, raconte-lui donc mon problème... sans lui dire mon nom... lui, il aura peut-être une idée !

— Peut-être.

A peine ai-je raccroché que je crois déjà entendre monsieur Renard. Que dit-il ?

« Il n'y a pas de problème qu'une absence de solution ne finisse par résoudre. »

Sacré Jules !

# Chapitre 6

14 Juillet.

Je suis dans la piscine en plein air de Trouville, encore peu fréquentée à cette heure matinale. J'y tâte l'eau d'un orteil précautionneux quand deux connards — il n'y a pas d'autre mot — me poussent dans le bassin. J'y tombe, affolée. J'en émerge, furieuse. Je cherche du regard mes agresseurs en criant à tout hasard : « Connards ! » — il n'y a pas encore d'autre mot. Je sens alors sous l'eau deux mains qui saisissent mes chevilles et qui me propulsent en avant comme une torpille. Je panique. Je me débats, consciente d'évoquer davantage Snoopy qu'Esther Williams. Enfin j'émerge, en insultant les deux « connards » — il n'y a toujours pas d'autre mot... Ah si ! Il y en a un... et je le prononce avec un étonnement ravi :

— Les tourtereaux !

Gilles et Victoria gloussent... bec à bec.

— Vous n'avez pas honte... à votre âge !

— Ah non ! répond Victoria, c'est normal : on a seize ans !

— Toi peut-être, mais moi, proteste Gilles, j'en ai à peine quinze !

Ils se regardent, si indécents de tendresse que je me sens indiscrète et m'éloigne afin d'accomplir mes consciencieuses longueurs de piscine avant qu'il n'y ait trop de monde. Gilles et Victoria suivent mon exemple et nagent côte à côte... et surtout cœur à cœur.

Tout au long de la journée que nous allons passer ensemble, je retrouve chez eux cette magie des amours débutantes. Si proches de la magie des éclosions naturelles : les nouveau-nés — de l'homme ou de l'animal. Les bourgeons des arbres. Les boutons des fleurs.

Au marché, leur gourmandise des nourritures terrestres se projette sur leurs gourmandises érotiques : les pêches palpées par Gilles, les melons respirés par Victoria semblent avoir été cueillis dans les jardins d'Eros. Même devant le stand d'un brocanteur, leur complicité amoureuse ne désarme pas. Elle change simplement de registre. Elle s'empare d'un vase autour duquel s'enroule une main. Le tout en opaline bleue. Ils s'extasient à l'unisson, bien au-delà, à mon avis, de ce que l'objet mérite. Mais bientôt je comprends leur enthousiasme :

— Gilles a la passion des mains, m'explique Victoria, dans la vie et dans l'art.

— Et Victoria, elle, a la passion du bleu. Toute la gamme des bleus.

— D'ailleurs tu verras, reprend-elle, dans le nouvel appartement où je suis en train d'emménager, ma chambre sera une bulle d'azur.

C'est de cette façon désinvolte qu'elle m'apprend cette nouvelle, pour elle, importante : au début du mois, elle va quitter son rez-de-chaussée près du bois de Vincennes pour un pigeonnier... proche du bois de Boulogne.

Situation dûment choisie par Victoria : à proximité de la chlorophylle des arbres, pour la joggeuse assidue qu'elle est. À équidistance des deux hommes de sa vie, pour la femme pratique qu'elle est également.

Sur une carte imaginaire Victoria me montre avec son index :

— Ici au centre, moi. Là, Gilles au parc Monceau. Et là, à l'Etoile, Serge.

— Serge. Quel Serge ?

— Serge Vollard, mon boss-pote.

— Ton quoi ?

— Mon employeur et mon ami. Le moins boss des boss.

— Et le plus sûr des potes, précise Gilles sans une once de jalousie.

— D'ailleurs tu vas pouvoir en juger : il doit déjeuner avec nous. Ça m'étonnerait qu'il ne te plaise pas : en dehors de son travail, il manque totalement d'esprit de sérieux.

— Comme vous !

Gilles, content de sa remarque (judicieuse), se dirige vers le brocanteur en nous lançant par-dessus son épaule :

— Ne vous occupez pas de moi. Je m'occupe du vase.

Victoria en profite pour me donner quelques détails supplémentaires sur son patron modèle. Dont un essentiel pour m'éviter de gaffer :

— Il est marié. Mais au déjeuner il sera accompagné d'une créature dont la parole n'est pas le meilleur moyen d'expression... Elle est sa « suppléante » du week-end. Il en a d'autres à Paris.

Victoria m'apprend encore qu'il y a une douzaine d'années, Serge a été son amant non pas d'un jour, mais d'une heure. Une heure joyeusement ratée où leur mésentente sexuelle n'a eu d'égale que leur entente à l'assumer dans la rigolade. A partir de là, leur relation ne risquant plus d'ambiguïté, il l'a engagée dans son cabinet de chasseurs de têtes. D'abord comme graphologue — son métier —, puis comme morphologue — son hobby —, puis comme psycho-intuitive — complément féminin du psycho-intuitif qu'il est, lui. Elle est sa principale collaboratrice et sa seule confidente.

Gilles nous rejoint avec deux sacs en papier : un pour Victoria, l'autre pour moi. Celui de Victoria contient le vase en opaline bleue. Le mien, un de ces plumiers en bois qui ont disparu en même temps que les plumes Sergent-Major, l'encre violette dans les encriers blancs, les blouses grises et les professeurs cravatés. Curieusement, sur le couvercle coulissant du plumier, figurent mes deux initiales. Non pas simplement écrites, mais incrustées avec la pointe d'un canif ou d'un burin. Gilles s'attendrit sur le petit garçon — pour lui il ne peut s'agir d'une petite fille — penché sur son plumier avec application. Il est sensible à l'enfance et à la sculpture sur bois. Nous nous amusons tous les trois à imaginer le nom de ce petit « F.D. » maintenant disparu ou vieillard cacochyme : François Duquesnoy. Félix Dupanloup. Friedrich Dürrenmatt. Fedor Dostoïevski.

Il est presque midi. Il est temps de regagner la résidence de Mme Vollard : une de ces maisons de famille d'autrefois avec étage pour le personnel, devenue une espèce de caravansérail convivial où chacun entre et sort quand il le veut, avec qui il le veut.

Mme Vollard est aussi sympathique que me l'a annoncé Victoria. Dynamique septuagénaire, elle vit à retardement ses rêves de jeune fille, sacrifiés sur l'autel de l'amour. Serge, son beau-fils, est un séducteur-né avec l'autodérision en prime. La suppléante de son week-end est du pur jus de médias. Quand je lui ai demandé quelle était son activité, elle a répondu : « Pour le moment, je suis bimbo, mais je voudrais faire

" people ". » Sur-le-champ, je me suis promis de placer cette phrase dans mon prochain roman. Promesse tenue.

Pendant le déjeuner dans le jardin, face à la mer, j'observe mes futurs héros : Victoria choisit pour Gilles les plus grosses palourdes et les lui ouvre. Gilles choisit pour Victoria les langoustines les plus fermes et les lui décortique. Ils échangent pattes de crabe-mayonnaise contre bulots-vinaigrette. Pont-l'évêque contre camembert. Tarte aux fraises contre glace à la vanille. Et surtout, surtout ils échangent regards quémandeurs et regards reconnaissants.

Echange... c'est le titre d'une chanson de mon père, très loin de son répertoire satirique. J'essaye de me la remémorer. Serge Vollard me frappe légèrement sur le front avec deux doigts repliés comme on frappe à une porte et me demande :

— On peut entrer ?

Il précise :

— Dans vos pensées.

— Merci. J'avais compris.

— Excusez-moi, j'ai perdu l'habitude, me répond-il en me désignant négligemment la bimbo qui l'accompagne.

Un sourire s'inscrit dans la parenthèse très creusée de ses fossettes. Un sourire qui me rappelle quelqu'un... mais qui ? Je sollicite à nouveau ma mémoire... c'est Serge qui me répond :

— Ivan Vollard, surnommé Divan le Terrible, mon père. Domicilié volontairement rue Casanova, et qui fut votre stomato pendant quelques années.

— Mais oui ! « Vollard avec deux l comme papillon », son slogan préféré.

— Je l'ai adopté.

— Ah bon ?

— Eh oui ! Notre ressemblance n'est pas seulement physique.

— En effet, dis-je en désignant la bimbo aussi négligemment que lui tout à l'heure, j'ai appris que vous aussi vous étiez marié.

— Rien de tel comme bouclier contre les « suppléantes » un peu trop envahissantes.

Je jette un œil interrogateur sur la bimbo. Serge hausse les épaules devant ma naïveté :

— Pas celle-là ! D'autres « suppléantes », quand même plus valables.

— Et votre épouse ?

— Le rêve ! Une championne de bridge disputant des tournois un peu partout dans le monde, suppléée pendant ses nombreuses absences par une surdouée de la technologie ménagère !

J'apprécie d'un salut ironique « l'aménagement de son territoire » et remarque :

— Si j'ai bonne mémoire, la vie conjugale de votre père était moins bien organisée, moins sereine que la vôtre.

— Beaucoup moins.

— Je me souviens notamment d'un jour de crise où il m'a laissée plus d'une heure la bouche ouverte dans son fauteuil, pendant qu'au téléphone il essayait de calmer à tour de rôle deux femmes apparemment en furie.

Serge m'apprend que l'une de ces deux femmes était la première Mme Vollard, sa mère, à ce moment-là enceinte d'une future Nathalie — sa sœur cadette —, conçue à l'usage de « bouée de sauvetage » comme Agathe pour le couple La Rivandière. L'autre femme en colère était à coup sûr celle qui devait devenir la deuxième Mme Vollard ici présente, à la mort accidentelle de la première, après avoir été pendant vingt ans... sa « suppléante ».

— Et votre père ?

— Il s'est éteint comme une chandelle... après l'avoir brûlée par les deux bouts !

— Il y a longtemps ?

— Trois ans !

— C'est triste pour Hélène.

— Je n'en suis pas sûr. Vous devriez lui demander.

Conseil suivi après le déjeuner, à l'heure où Serge et sa bimbo, dans leur chambre, faisaient — à pudiquement parler — la sieste, et où Gilles et Victoria, dans la leur, faisaient — à proprement parler — l'amour.

Hélène et moi, dans la cuisine, plus simplement, nous faisons causette devant un thé à la menthe. J'ai enfilé mes gros sabots feutrés pour entrer dans l'intimité de Mme Vollard. Elle, très à l'aise dans ses baskets, m'a résumé sa vie : enfance bohème entre un père flûtiste et une mère violoniste. Adolescence consacrée en grande partie à l'étude... du piano. A vingt ans premier prix de Conservatoire, elle commence une très ingrate carrière de concertiste, enregistre peu à peu quelques succès encourageants, mais à trente ans, elle rencontre Ivan Vollard... et envoie tout promener pour lui, sur la triple promesse solennelle de celui-ci, ainsi résumée : Divorce. Remariage. Enfant. Mais... résultat, également résumé : Promesse différée. Rupture. Réconciliation.

Et voilà Hélène qui repart pour un tour. Puis un deuxième tour. Puis...

Au troisième, elle se résigne à être seulement une « Madame Deux », autrement dit une « back street » comme on disait alors en référence à un roman du début du XXe siècle qui racontait la triste histoire d'une de ces amoureuses de l'ombre, en ces temps-là, réellement sacrifiées. Aujourd'hui, elles ont droit de cité, s'affichent et, selon le cas, les épouses légitimes les acceptent comme un mal nécessaire et quelquefois, à l'exemple de Paule, les accueillent comme un bien salvateur.

Pendant vingt ans, Hélène, d'abord « back street » cachée, puis « suppléante » quasi officielle, a vécu à côté de l'homme de sa vie des trêves divines entre deux conflits décourageants. Puis son amant fidèlement infidèle, devenu veuf, l'épousa dès que les délais légaux le lui permirent. Parallèlement il eut un coup de foudre pour cette grande baraque avec vue imprenable sur la mer... et sur les filles dénudées, l'une et les autres toujours recommencées. Il l'acheta et permit à sa nouvelle épouse de la baptiser « Le Point d'Orgue ».

Pendant dix ans, Hélène fut enfin Mme Premier. Avec les obligations que ça implique. Avec le quotidien lamineur. Avec l'agressivité de Nathalie (treize ans). Avec les frasques de Serge (dix-huit ans)... et avec la découverte démoralisante des infidélités successives de son mari.

La mort de celui-ci est intervenue juste au moment où Hélène songeait à se séparer de lui... eh oui !... à soixante-dix ans ! Il n'y a peut-être plus d'enfants à notre époque, mais les grands-parents commencent sérieusement à se raréfier !

— Depuis trois ans, me confie Hélène, je crois n'avoir jamais été aussi heureuse. J'adore ma maison. J'apprécie les complicités que j'ai avec Serge. Je me délecte des « mea culpa » de Nathalie, en perpétuelle crise sentimentale. J'aime l'amitié que Victoria me témoigne. Je suis fière de ses confidences. En plus, je lui suis profondément reconnaissante de m'avoir poussée à me remettre à mon piano et à composer des bouts de musique pour ses numéros de clown.

Personnellement, j'ai toujours pensé le plus grand bien des relations intergénérationnelles, entretenues dans une mutuelle discrétion : elles sont profitables autant aux aînés qui savent qu'aux jeunes qui peuvent. Je pense en l'occurrence que l'expérience d'Hélène pourrait être très utile à notre amie commune.

— Vous avez parlé à Victoria de votre vie ? De vos années de clandestinité et des autres ?

— A moitié : je lui ai raconté l'évolution de ma situation. Mais pas celle de mes sentiments.

— Pourquoi ?

— Serge me l'a déconseillé... pour le moment, en tout cas. Il préfère que j'attende.

— Que vous attendiez quoi ?

— La suite !

# Chapitre 7

La suite... j'y participe, de nouveau au Point d'Orgue, entourée des mêmes personnes, à l'exception de la bimbo blonde de Serge qu'il a remplacée par une bimbo brune, mais la différence n'est pas sensible. Exactement un mois plus tard, c'est-à-dire le 14 août.

Or, le lendemain c'est l'anniversaire de ma filleule et l'anniversaire de son mariage avec Gilles. Leurs serviables voisins (les docteurs Frémont) ont organisé chez eux une petite fête familiale à cette double occasion. Ils m'y ont invitée par l'entremise de ma filleule. Gilles a accepté de s'y rendre — à cause des enfants — malgré la mauvaise humeur visible et audible de Victoria. Moi, sur sa demande insistante, j'ai accepté d'accompagner Gilles, afin de jouer sur place les observatrices, voire les espionnes.

Je suis arrivée chez Hélène Vollard en fin de matinée avec fromage et dessert. Après les exclamations d'usage qui ont salué avec un même enthousiasme le fumet d'un camembert « à cœur » et celui d'une tarte aux fraises, je suis le programme établi manifestement à l'avance : Hélène entraîne la bimbo vers la cuisine, en vue de quelques tâches ménagères. Serge entraîne Gilles vers la plage, en vue d'une virée en planche à voile. Et Victoria m'entraîne, elle, vers le marché en vue d'un vidage de sac trop plein Je provoque l'ouverture.

— Ça ne va pas ?

— Ça se voit tant que ça ?

— Non... juste un peu.

— Alors c'est normal : je suis juste un peu agacée.

— Pourquoi ?

— Parce que Gilles est un peu trop gentil avec sa bonne femme.

— En quoi ?

— Ben... tu comprends...

Je comprends que Gilles a offert à sa femme, à son amie Florence, délaissée comme elle, et à ses enfants bien sûr, des vacances dans un palace de Djerba.

Je devine au ton de Victoria qu'elle estime qu'un gîte rural dans le Cantal aurait suffi. J'exagère à peine.

Je comprends que Gilles officiellement a téléphoné à Paule pour avoir des nouvelles de sa famille une ou deux fois par semaine.

Je devine que Victoria le soupçonne d'avoir appelé la Tunisie tous les jours, peut-être même matin et soir.

Victoria reconnaît qu'avec elle personnellement, Gilles a été merveilleux. S'occupant de la décoration de son nouvel appartement pendant qu'elle travaillait ; assumant avec tendresse et gaieté le repas de la guerrière ; lui organisant des week-ends, insolites pour eux, de touristes à Paris.

— Donc, dis-je, dans l'ensemble un mois de juillet très positif ?

— Très ! Jusqu'au 27 !

— Qu'est-ce qui s'est passé le 27 ?

— Comme prévu, la baronne et sa dame de compagnie sont revenues de Djerba avec armes et bagages. Les armes, ce sont les mômes, bien entendu ! Comme prévu, Gilles est allé chercher toute sa smala à l'aéroport pour la conduire au manoir.

— Et alors ?

— Alors, comme pas prévu, il y est resté une semaine sous prétexte que les enfants avaient un besoin urgent de la poigne paternelle.

— C'est possible...

— Tu penses ! Ta filleule a cent fois plus d'autorité que lui.

— Ecoute, Victoria, tu savais au départ que Gilles n'était pas libre. C'est quand même normal que de temps en temps, il retrouve sa famille et sa maison.

— Oui, tu as raison, mais ce qui m'agace c'est que ça n'ait pas l'air de l'emmerder !

La franchise à l'emporte-pièce de Victoria m'arrache un éclat de rire qui l'amène aussitôt à une allègre autocritique :

— D'accord ! Je suis exigeante ! Exclusive ! Réactive ! Mais attention, je me soigne.

— Efficacement ?

— Et comment ! Quand j'ai récupéré Gilles, pas un reproche ! Pas un ricanement ! Pas même un soupir...

— Il a dû être surpris.

— Et encore plus amoureux qu'avant... tu n'imagines pas...

Ça serait inutile car Victoria me décrit par le menu les dix jours hors du temps, hors norme qu'ils ont passés dans une charmante auberge (ah oui ! pas un palace, eux !), une auberge située près de Lugano dans cette Suisse italienne où elle est née.

Sa voix et ses yeux me convainquent sans difficulté que ce fut pour eux une parenthèse de rêve. Un de ces moments privilégiés où l'on est sûrs d'être les seuls au monde à connaître un bonheur si... si... si... indescriptible !

Avec une brusquerie qui lui est familière, Victoria quitte son récit élégiaque pour des informations nettement plus terre à terre :

— Le 13, c'est-à-dire hier, on a refermé notre parenthèse de rêve, sans trop de regrets puisque le 19, nous allons en ouvrir une nouvelle, d'un tout autre genre, à New York que j'ai très envie de découvrir.

— Formidable ! Donc tout va bien !

— Oui... sauf que Gilles part d'ici demain pour ce déjeuner d'anniversaires (au pluriel) chez les Frémont, qu'il va rester jusqu'au 18 au manoir...

J'ironise :

— Bien sûr, tu trouves ça absolument normal mais... ça t'agace parce que ça n'a pas l'air de l'emmerder.

Cette fois, c'est Victoria qui éclate de rire, qui convient que j'ai raison et qui s'en veut... un peu seulement.

Le rire a chassé de son visage les ombres que j'y avais repérées en arrivant. Quelle chance pour notre déjeuner. Il est aussi détendu et joyeux que celui du mois précédent. Il se prolonge de la même façon : d'un côté Gilles et Victoria enlacés, de l'autre Serge, deux pas devant sa bimbo, montent dans leurs chambres respectives pour une sieste qu'ils espèrent la moins reposante possible.

Quant à Hélène Vollard et moi-même, nous nous replions vers la cuisine avec la double perspective d'un thé glacé à la menthe et d'un bavardage chaleureux.

Hélène ouvre le feu en allant chercher dans le fond d'un placard, derrière deux rangées de pots de confiture, une boîte à sel désaffectée. Elle en retire un élégant petit paquet qui visiblement ne peut sortir d'une épicerie... même de luxe ! En effet, il sort de la boutique d'un artisan joaillier de Deauville. Hélène m'apprend que ce paquet contient une bague composée de deux anneaux de jade — pierre assortie à la couleur des yeux de Paule. L'un pour son anniversaire, l'autre pour celui de son mariage. En dépit de l'évidence, j'ai du mal à croire que :

— C'est Gilles qui a commandé cette bague ?

— Eh oui ! Et qui plus est le 2 août, c'est-à-dire juste après avoir laissé Paule et leurs enfants au manoir et avant de partir le lendemain avec Victoria pour leur nirvana helvétique.

— C'est incroyable !

— Pas pour moi ! J'en ai vu d'autres !

— Mais pourquoi cette bague est-elle ici ?

— Parce que Gilles avait chargé Serge de la prendre chez le bijoutier pendant son absence et de la cacher dans ma cuisine à cet endroit précis d'où il comptait la ressortir au dernier moment.

— Autrement dit demain matin ?

— C'est ça, pendant qu'il préparera le plateau du petit déjeuner de Victoria... amoureusement.

— Amoureusement, vraiment ?

— Eh oui ! Elle est indiscutablement l'amour de sa vie.

— Vous croyez ?

— Sans l'ombre d'un doute.

J'ai à peine le temps d'exprimer ma perplexité par un hochement de tête : les sandales de Victoria claquent dans l'escalier. Elle s'encadre dans la porte de la cuisine, le visage aussi chiffonné que son T-shirt, en revanche les cheveux plus emmêlés que ses paroles :

— Gilles part maintenant. Il vient de recevoir un appel sur son portable. Du manoir... de son gardien... paraît-il. Des campeurs squattent le parc et ne veulent pas déguerpir... paraît-il. Ils ont menacé de tout casser... paraît-il. En tout cas il s'en va. Ça, c'est sûr.

— Et je parie, à voir ta tête, qu'une fois de plus, tu penses que ça n'a pas l'air de l'emmerder assez !

Le sourire, sinon le rire, désamorce à nouveau la mauvaise humeur de Victoria.

— Bon, ça va! Je capitule. Je m'en vais, pute et soumise, préparer du mâle combattant le modeste bagage... en tâchant d'oublier que ça s'appelle aussi un « baise-en-ville »!

Là-dessus, pas très fière d'elle-même, Victoria fuit la rancœur d'Hermione avec la démarche de Groucho Marx.

Dans l'escalier, elle croise Serge. Elle lui répète ce qu'elle nous a dit. Moins les « paraît-il », ce qui évidemment change tout. Serge l'écoute avec une indifférence polie mais, dès qu'il est dans la cuisine, il se montre beaucoup plus concerné :

— Gilles vient de tout m'expliquer. Il m'a demandé de lui rapporter en douce le... la... euh...

Ne sachant pas si je suis ou non au courant de « l'affaire de la bague », il hésite à prononcer devant moi un mot précis et révélateur. Alors, je lui souffle :

— Le détartreur vous voulez dire?

Il approuve le terme entre ses deux fossettes :

— C'est exactement ça : le détartreur!

Hélène lui donne le paquet du bijoutier en lui recommandant de le remettre à Gilles avec un maximum de discrétion, compte tenu de la méfiance de Victoria et de son œil de lynx.

Recommandation suivie scrupuleusement. Mission accomplie sans bavure. Séparation sans arrière-pensée... visible. D'un côté, ceux qui restent, alignés sur le trottoir. De l'autre, celui qui part, dans sa voiture. Par la vitre baissée, il agite sa main pour un dernier salut. Victoria s'échappe pour y glisser un papier plié. Etonné, Gilles le déplie; navré, il en déchiffre le contenu; gêné, il le replie en disant : « Je sais. » Puis, les mains crispées sur son volant, il démarre.

Victoria attend que nous soyons seules pour me dire ce qu'elle a écrit en guise de pense-cœur :

— « Je préfère être malheureuse par une vérité, qu'heureuse par un mensonge. »

— C'est de qui ?

— De moi !

— Pourquoi lui as-tu écrit ça ?

— En réponse à une phrase de sa femme qu'il m'a citée comme un bel exemple de sagesse.

— Quelle phrase ?

— « Dans un couple, le silence est le plus sûr des airbags : il amortit tous les chocs. »

Je me garde de répondre à Victoria que ce n'est peut-être pas tout à fait faux... hélas !

Le lendemain, chez les Frémont, Paule m'a tenu exactement le même propos. Elle l'a illustré devant Gilles en me montrant à l'intérieur de sa bague aux deux anneaux de jade l'inscription qu'il y avait fait graver : « Bons anniversaires... quand même ! »

Le silence de Gilles, à cet instant, fut assourdissant.

# Chapitre 8

De retour à Paris, le premier dimanche de septembre, Victoria qui connaît mes habitudes dominicales se pointe à l'ouverture du marché de mon quartier et me rejoint au stand des fruits et légumes. Devant melons tardifs et marrons prématurés, elle grognonne dans mon oreille avec une voix de paysanne cacochyme :

— Y a plus d'saison ma bonne dame ! Pour les primeurs, comme pour les gourgandines ! J'en connais une qui va sur ses trente-sept ans et qu'on lui en donnerait toujours seize.

Je la regarde, approbative. C'est vrai qu'avec ses yeux en boules de loto, son nez en trompette et sa bouche en tirelire, avec son T-shirt moulant qui affiche : « Pas touche ! », avec son jean taille 36, ses baskets et son casque de moto à la place du panier de la ménagère, elle a vraiment l'air d'une gamine.

— Qu'est-ce que tu fais là ?

Victoria s'immobilise, comme si vraiment je lui avais posé une question à cent mille euros. Elle finit par me chuchoter comme un secret :

— Je suis venue te voir parce que je t'aime bien et que j'avais envie de te parler.

Elle ajoute en détalant sur ses baskets : « Laisse ton

Caddie. Tu le reprendras tout à l'heure. Je t'attends à la sortie.

Effectivement je la retrouve à la sortie, mais — surprise du chef ! — à califourchon sur le siège avant d'une moto, son casque sur la tête, m'en tendant un autre et m'indiquant d'un geste impératif le siège arrière. Je me force à croire qu'elle plaisante bien qu'elle n'en ait vraiment pas l'air. Elle n'en a pas non plus le ton :

— Allez ! Grimpe ! m'ordonne-t-elle. Qu'est-ce que tu attends ?

— Tu es folle ! Je ne suis jamais montée sur une moto.

— Gilles non plus avant de me connaître ! Maintenant il ne se déplace plus que comme ça.

— Mais il est beaucoup plus jeune que moi ! Tu ne te rends pas compte ! A mon âge je ne vais pas commencer à...

— Si ! Justement ! C'est le moment ! Allez ! Dépêche-toi !

Comme je suis hésitante, à la fois tentée et réfractaire, Victoria se penche vers moi et me chuchote :

— Fais gaffe, il y a une caméra cachée qui est en train de te filmer.

Je redresse la tête, commence à balayer les alentours avec circonspection. Victoria m'interrompt rudement :

— Arrête ! Tu as l'air d'un moineau affolé ! Détends-toi ! Souris ! Mets ton casque et joue-la-moi « publicité pour caisse de retraite » !

Je n'y crois pas vraiment à son histoire de caméra mais, dans le doute... je pose mon casque sur mes cheveux en veillant à ce que ma frange dépasse : c'est plus seyant. Je vérifie l'effet dans le rétroviseur. Je me hisse derrière Victoria, les jambes plombées par ma double peur : celle de l'accident et celle du ridicule ! Je souris... aux objectifs possiblement braqués sur moi, aux

50

éventuels lecteurs qui éventuellement pourraient me reconnaître. Je me traite d'andouille. Car le pire c'est que je suis lucide. J'assimile mon image à celle d'un croustillant aux fraises : résistant à l'extérieur. Flasque à l'intérieur.

Pas totalement rassurée, Victoria surveille pendant le trajet, dans ses rétroviseurs, mon niveau de trouillo-métrie. Il se maintient dans une bonne moyenne. Il a tendance à baisser quand je m'imagine sur un écran de télévision mais par bonheur il chute quand, en haut de l'avenue de la Grande-Armée, ma pilote tourne à gauche après un feu vert, se dirige vers une des rues en face et se gare presque au coin. Ouf ! Elle coupe le moteur, m'invite à descendre, place la moto sur sa béquille, me rejoint sur le trottoir et là, se paye ma tête d'hébétée :

— Bravo, madame Zombie ! Vous avez été très courageuse ! Malheureusement, on ne verra pas votre exploit à la télé : vous n'avez pas été filmée !

Je n'ai jamais cru vraiment que je l'étais, mais... juste assez quand même pour mesurer l'influence — le pou-voir — de l'œil d'une caméra, en passe de remplacer de nos jours l'œil de la conscience.

Pour le moment, c'est l'œil de Victoria fixant le toit d'un immeuble qui requiert mon attention... et ma curiosité.

— C'est là, ton nouvel appartement ?

— Bien mieux que mon appartement ! C'est mon nid, mon refuge, mon oasis, mon chaudron.

— Tout ça ?

— Et en plus c'est le centre de mes quatre points cardinaux.

— C'est-à-dire ?

— Au sud, Gilles pour l'amour. Au nord, Serge pour le boulot. A l'ouest, les QM pour les loisirs. Et à l'est, du nouveau, toi, pour l'amitié.

51

Victoria, aussi gênée d'avoir prononcé ces derniers mots que moi de les entendre, ménage notre pudeur commune en attirant mon attention sur son appartement et plus particulièrement sur la coupole ouvragée qui surplombe une des fenêtres. Elle me demande :

— Ça ne te rappelle rien ?

Je cherche. J'ai une vague idée...

— Quel est le nom de la rue ?

— Villaret-de-Joyeuse !

Schlack ! Plus d'un demi-siècle me tombe dans la tête ! Il s'en échappe des souvenirs tendres et drôles. Des souvenirs de plaisir... illicites pour la pure jeune fille que j'étais censée être alors et légalisés par le mariage qui les a suivis. Je secoue la poussière du temps et m'engouffre dans l'immeuble, amusée à l'idée de redécouvrir la garçonnière de ma jeunesse, mais Victoria me prévient :

— Tu ne vas sûrement rien reconnaître. L'étage vient d'être transformé. Les studios qui l'occupaient ont été regroupés par trois.

En effet, je ne suis plus dans l'ancienne chambre de Rodolphe et Mimi de *La Bohème*, je suis dans une espèce de grand panier, destiné à un chat à la fois indépendant et chaleureux.

— Une chatte, rectifie Victoria, une chatte de la famille des F.3

— F.3 ?

— Femme à triple vocation. Les miennes : Graphologue. Clown. Amoureuse. D'où mes trois espaces : Un pour le travail. Un pour les loisirs. Un pour les câlins.

Je les visite. Le premier : du beige et des meubles anglais. Le deuxième : du rouge et des paravents. Le troisième : du bleu, de la moquette au plafond en passant par le lit, les sièges, les deux tables de chevet. Sur l'une, le vase en opaline acheté à Trouville ; sur l'autre, un cadre baroque, contenant un montage photographique composé de deux photos : l'une, du manoir. L'autre, de la chambre où nous sommes.

J'enregistre cette image en remplaçant — inconsciemment — les deux lieux par deux visages : celui de Paule et celui de Victoria. Quelques mois plus tard, c'est cette image rectifiée par mon inconscient qui inspirera la couverture de ce livre : avec les auteurs, rien ne se perd, rien ne se crée, tout se transforme.

Par ailleurs, je suis frappée dans cet appartement par le nombre d'objets détournés de leur usage initial : un vieux téléphone transformé en lampe ; un gril en classeur ; un pique-fleurs en pique-Post-it.

Je suppose que :

— C'est symbolique, pour toi, les objets qui changent d'emploi ?

— Non... je n'y avais pas pensé. Mais à la réflexion, c'est vrai, ça pourrait vouloir dire que j'aime bien les gens capables de bouger sur leurs bases.

— Surtout si c'est toi qui les y pousses...

— Je ne pousse que les gens qui ont envie de bouger, comme Gilles.

— Tu crois vraiment qu'il a envie de modifier sa vie ?

— Bien sûr ! Et pas seulement sa vie familiale. Sa vie sociale aussi.

— Ah bon ?

— Il y a longtemps déjà qu'il en a marre de n'être qu'un nanti uniquement occupé à gérer son patrimoine, marre de dépenser son argent d'une façon égoïste... qui ne le rend même pas heureux ; marre de culpabiliser sans être coupable. Alors, subitement... peut-être un peu sous mon influence, il a décidé de s'engager dans le bénévolat et il est entré à l'AQM, l'association dont je m'occupe, tu te rappelles ?

— Oui, les « Quand Même » ! J'aime bien ce nom... et la volonté qu'il sous-entend.

— Gilles aussi. Ça a boosté la sienne ! Au-delà de mes espérances et des siennes !

— À ce point-là ?

— Crois-moi, il n'a peut-être pas encore réalisé son rêve d'enfance : être un deuxième Jésus, mais il a déjà une énergie du feu de Dieu !

— Qu'est-ce qu'il fait ?

— Primo, il a pris en main la gestion des comptes de l'association et, crois-moi, ce n'est pas un mince boulot ! Secundo, il a envoyé des lettres à toutes ses relations pour solliciter leur soutien... pas uniquement moral. Tertio, il a mis en vente un de ses appartements pour financer un projet de l'AQM.

Je tique sur le dernier point :

— Paule est au courant ?

— Ça m'étonnerait. Gilles ne lui parle pas de ce genre de choses. Ça ne l'intéresserait pas. Tant qu'il ne restreint pas son budget fringues et loisirs... le reste, elle s'en balance !

— Pas de tout le reste.

— Comment ça ?

— Tu oublies que les fringues, ça ne sert à rien si tu n'as personne pour les admirer... ou les envier. Pareil pour les loisirs : ils perdent drôlement de leur attrait si tu n'as personne à qui les raconter, à qui t'en vanter.

Victoria tique à son tour.

— Tu veux dire que Paule tient moins à la fortune de Gilles qu'à son réseau relationnel où il l'a imposée... et qu'elle perdra sans lui ?

— Exactement. Elle n'a jamais souffert de cette fameuse difficulté d'être, chère à Jean-Paul Sartre. Elle a souffert, elle, d'une difficulté de paraître. Gilles l'en a débarrassée. Mais elle ressurgirait immédiatement en cas de rupture.

Victoria a pâli. Elle était persuadée que l'attachement de Paule pour Gilles devait tout à l'intérêt, rien à l'orgueil. Rien au « m'as-tu-vuisme ». Elle était persuadée que Paule ferait payer très cher à Gilles sa liberté mais qu'en y mettant le prix, il l'obtiendrait sans aucun problème. Elle était persuadée qu'elle allait le retrouver à son retour en homme libre et heureux.

Je l'interromps :

— Pourquoi à son retour ? Gilles est parti ?

— Oui. Hier soir. Pour le manoir avec l'intention d'annoncer à Paule qu'il la quittait définitivement.

— Ah...

— Il m'a dit qu'il me téléphonerait dès que...

Victoria s'arrête net. S'empare de son portable. L'interroge.

Aucun avis d'appel. Aucun SMS.

Je pense au pire. Victoria aussi. Mais nous n'avons pas la même conception du pire. Je dis :

— Pourvu qu'il n'ait pas eu un accident !

Elle répond :

— Pourvu qu'il n'ait pas reculé au dernier moment !

# Chapitre 9

Le masque de l'angoisse sur le visage, Victoria vient de me quitter.

A la pétarade de sa moto succède au bout de mon téléphone la voix primesautière de ma filleule :

— Coucou! C'est Paule.

— Ah... tu m'appelles d'où?

— Du manoir!

— Ah... Et comment vas-tu?

— En pleine forme!

— Et Gilles?

— Beaucoup mieux qu'à son arrivée ici.

— Ah bon? Il n'allait pas bien?

— Complètement à côté de ses pompes! Figure-toi qu'il voulait se tirer avec « l'autre ».

Avec une présence d'esprit peu courante chez moi, je joue les innocentes :

— Quelle autre?

— Ben... Victoria.

— Ah, Mlle Vitto?

— Oui! Le faux clown. La fausse geisha. La fausse mère Teresa. Mais la vraie garce! Tu te rappelles, quand même?

— Oui... mais comme tu ne me donnais plus de ses nouvelles, je croyais qu'elle n'était plus dans le circuit.

— Penses-tu ! Je viens de rattraper Gilles sur la ligne de départ !

— Allons bon ! Et... ça s'est bien passé ?

Sur un ton qui sent plus la « trinquette » que le Gotha, Paule me renseigne :

— Finalement oui, mais crois-moi, ça n'a pas été de la tarte ! Il a fallu que je mette le paquet !

— A ce point-là ?

— Et tous azimuts encore !

— Qu'est-ce que tu entends par là ?

Ravie de mon ignorance... et de mon intérêt, elle s'empresse de me raconter son combat ou plutôt ses combats car elle a dû en livrer plusieurs avant que Gilles renonce à son projet de rupture.

— D'abord, j'ai commencé par le plus facile : j'ai tiré sur sa corde sensible, son devoir de père. Je lui ai affirmé que ses enfants qui l'adoraient ne lui pardonneraient jamais de les avoir abandonnés ; qu'ils seraient traumatisés à vie et que lui se le reprocherait éternellement. Tu vois le genre ?

— Très bien ! Le genre poison efficace, mais souvent à effet lent.

— Eh oui ! C'est pourquoi, comme je souhaitais un effet immédiat — vite fait bien fait —, je lui ai joué le même scénario qu'avec la cégétiste. Tu te souviens ?

— Oui bien sûr, un classique : la réconciliation sur le berceau.

— C'est ça. Je lui ai proposé un nouveau bébé... un angelot qui tendrait ses menottes...

Là mon attention décroche sur le mot « menottes ». Celles du nouveau-né qui retiennent l'homme prisonnier plus sûrement que celles d'un geôlier ne retiennent les mains d'un délinquant.

Je raccroche mon attention sur le mot « nursery ».

— Tu penses bien, me dit Paule, que la perspective de pouponner pour la troisième fois ne m'amusait pas du tout.

— Et Gilles ? Ça l'amusait ?

— Lui non plus ! Heureusement... dans un sens, mais pas dans l'autre.

— Pourquoi ?

— Ben... ça m'a forcée à déclencher un troisième tir de barrage pour le stopper. Tu devines lequel.

— Ah non ! Du tout !

Ma filleule pouffe. Ma filleule glousse. Elle me renseigne sur le ton qu'elle prendrait avec une demeurée :

— Voyons... la Perla !

— Pardon ?

— La lingerie de chez la Perla ! Tu connais, quand même ?

— Bien sûr ! Les dessous et les bas de la Française d'en haut !

— Ah ! Ça me plaît bien, ça !

— Et à Gilles, ça lui a plu, la Perla ?

— Pas vraiment ! Il était encore branché sur « l'autre » et il m'a carrément avoué : « Maintenant je préfère Etam ! »

Faute d'avouer que moi, la réaction de Gilles m'attendrit, je sors mon habituel dépanneur linguistique tous usages :

— Ça alors !

— Comme tu dis ! J'ai eu un vrai moment de panique et puis, j'ai réagi et j'ai décidé d'employer les grands moyens.

— C'est-à-dire ?

— Le revolver !

— Tu en as un ?

— Evidemment ! Ça peut toujours servir. Ça impressionne. Aussi bien les voleurs que les maris.

— Comment ça ?

Paule s'esclaffe. Cette fois se gausse ouvertement de mon innocence et, séance tenante, me donne mon premier cours de libertinage : le mode d'emploi d'un revolver, comme arme de dissuasion et de persuasion, en face d'un mari qui vient pour rompre. Paule traite le sujet avec une gaillardise dont jamais je ne l'aurais crue capable. Pourtant, ma mère m'avait prévenue : « Méfie-toi des femmes à pull montant et à collier de perles... ce sont les pires ! » Elle avait raison, maman. Le vernis de Paule craque et la voilà qui se transforme au bout du fil en une espèce de Maïté du sexe pour m'apprendre la recette du « pigeon piégé » :

— D'abord, te déshabiller de la tête aux pieds en un tournemain. OK ?

— Ah oui, jusque-là... je peux suivre !

— Aussitôt après, en un éclair, tu t'empares du revolver dans la cachette où tu auras pris soin de le cacher auparavant et d'un bond, comme un chat, tu t'allonges sur un lit — ou sur le sol, selon les préférences ou les possibilités. OK ?

— OK ! Continue !

— Là, ça devient plus délicat : une fois couchée, sans perdre une seconde, tu introduis le canon de l'arme... là où tu penses.

Moi, je pense « la bouche ». Prudente, je me tais. Affolée, je comprends dix secondes plus tard qu'il me faut penser plus au sud ! Juste à temps pour apprécier la recommandation de Paule :

— Attention : garder le doigt sur la détente ! OK ?

En vérité je suis plus KO que OK, mais on a son honneur, alors je ne dis rien et laisse Paule attaquer le moment crucial :

— D'une voix glaciale, tu préviens le salopard qui veut te quitter : « Je vais compter jusqu'à trois et si à trois tu ne m'as pas désarmée... » En principe il ne te laisse pas aller plus loin.

— Et s'il ne bronche pas ?

— Pas de panique ! Ce que tu peux être naïve ! Le barillet est vide !

— Ah bon !

— C'est un jeu... voyons !

Dans un accès de courage, j'ose avouer que je ne trouve pas ça très amusant au risque de passer pour une ringarde irrécupérable. Risque confirmé : Paule éclate de rire et condescend à m'expliquer :

— Ce n'est pas rigolo. C'est érotique.

J'assume ma ringardise, le verbe sec :

— Excuse-moi, je n'avais pas compris.

— Le principal c'est que Gilles, lui, il a très bien compris, au quart de tour.

— Et ça lui a plu ?

— Au-delà de mes espérances... malheureusement !

— Pourquoi malheureusement ?

— Ben... parce que j'ai peur qu'il veuille recommencer.

Je lève au ciel mes yeux d'ingénue garantie d'époque : authentique XIX$^e$ siècle ! Mais comme ce regard n'est pas transmis par satellite sur le portable de ma filleule, elle poursuit :

— L'ennui, en plus, c'est que je ne pourrai même pas suggérer à Gilles de rejouer au même jeu, avec « l'autre ».

— Pourquoi ?

— Ben, parce que c'est fini !

— Qu'est-ce qui est fini ?

Paule emprunte sa réponse à Jacques Brel :

— Fini « leur doux, leur tendre, leur merveilleux amour »...

— Vraiment fini ?

— Côté Gilles, ça, j'en mettrais ma main au feu.

— Et du côté de « l'autre » ?

Paule ne m'a pas répondu. Elle a prétendu que Mathilde, la fille des gardiens, était entrée pour lui apporter un gadget qu'elle l'avait chargée d'acheter dans une boutique de Deauville. Elle m'a appris avec un contentement prohibitif qu'il s'agissait d'un revolver miniature... à usage de briquet : quand on appuie sur la détente, une petite flamme sort !

Paule m'a demandé :

— Drôle, non ?

Je n'ai hélas pas répondu : « A pleurer de rire ! »

# Chapitre 10

« Bonjour ou bonsoir. Laissez-moi votre nom à tout hasard. Au cas probable où je ne vous rappellerais pas, je compte sur vous pour ne pas m'en vouloir et surtout ne pas vous inquiéter. »

Ce message de Victoria, je l'ai entendu hier dimanche trois fois. Elle n'a donné suite à aucun des miens.

« Mlle Vitto est en rendez-vous. Mais je suis son assistante et s'il s'agit d'un appel professionnel, je peux peut-être... ».

La voix de l'assistante, je l'ai entendue aujourd'hui lundi deux fois. Les deux fois j'ai raccroché.

Le silence de Victoria dure depuis maintenant trente-trois heures. Conformément à l'un de mes aphorismes préférés : « Pas de nouvelles, mauvaise nouvelle », je commence sérieusement à m'inquiéter lorsqu'un livreur de pizza (ou présumé tel sous son harnachement) freine sec devant mes fenêtres. Il sort de son porte-bagages à l'arrière de son scooter plusieurs cartons de pâtissier et une bouteille de vin. Il entasse le tout entre ses bras. Ainsi chargé, il se dirige vers mon portillon et, l'ayant atteint, se penche en avant avec l'intention de presser le bouton de l'interphone avec son front. Bienveillante mais pas téméraire, je lui crie de loin :

— Ce n'est pas pour ici !

— Si !

— Non ! Je n'ai rien commandé.

— Peut-être. Mais moi, oui ! Je suis Serge Vollard...
avec deux ailes.

Amusée, je complète sa phrase :

— Deux « l » comme dans papillon !

Nous échangeons ces dernières répliques pendant
que sur mon invitation, Serge entre chez moi.

— C'est un miracle que je sois là, lui dis-je. Normalement, je devrais être aux Bouffes-Parisiens pour la
première du nouveau spectacle.

— Et je parie que l'on vous a décommandée pour
cause d'artiste malade.

— Comment le savez-vous ?

— C'est moi qui vous ai appelée. L'attaché de
presse est un de mes bons amis. Je vous ai excusée
pour ce soir. Il était ravi. Il manquait de places. Bien
entendu, il vous en donnera le jour où vous le
souhaitez.

Désarmée par sa désinvolture, je montre à Serge le
chemin de ma cuisine. Néanmoins agacée par son
sans-gêne, je ne lui envoie pas dire que...

— Vous êtes gonflé quand même !

— Oui ! Mais pour la bonne cause : celle de notre
amie Victoria.

Il a prononcé le mot de passe. Je change aussitôt de
ton :

— Où est-elle ?

— D'une part, dans la merde ! D'autre part, chez
elle. Je la quitte à l'instant. Elle était avec son punching-ball, son portable, son ordinateur, ses dossiers
professionnels et... en dernier recours, ses tranquil-
lisants.

— Il n'aurait pas été préférable que vous restiez
auprès d'elle ?

— Je le lui ai proposé bien sûr. Elle a refusé. La solitude est son refuge. Sa panacée pour se reconstruire.

— Parce qu'elle est...

— En morceaux !

— Elle n'a toujours pas reçu de nouvelles de Gilles ?

— Si, justement ! Elle m'a prié de vous les transmettre.

— Mauvaises ?

— Jugez vous-même !

Serge sort de la poche de son blouson une feuille de papier. Il la déplie et me la tend en m'expliquant qu'il s'agit d'une photocopie de la lettre que Victoria a découverte ce matin dans sa boîte aux lettres.

D'emblée, l'en-tête me choque :

« Mon doux, mon tendre, mon merveilleux amour... »

Les mots de Brel ! Ceux-là mêmes que Paule a prononcés hier avec dérision ! La suite me hérisse :

« Nous partons demain, ma femme et moi, pour une croisière de quinze jours. C'est la facture qu'il m'a fallu payer pour tous les moments exceptionnels que j'ai vécus avec toi. Je n'ai pas eu le choix. J'aurais pu te le dire plus tôt. J'aurais dû. J'aurais voulu. Mais hélas, toi qui m'as appris tant de choses, tu ne m'as pas appris le courage. En tout cas, pas celui d'affronter ta colère ou ta tristesse. Et plus probablement les deux.

Je sais que tu ne me pardonneras pas.

Je sais que je ne te reverrai jamais.

Je sais que je te regretterai toujours.

N'oublie pas... toi, que j'espère exactement le contraire. »

C'était signé : Gilles... quand même !

Ce faire-part de rupture m'irrite d'autant plus que j'imagine la formule contractuelle que Paule aurait pu y ajouter : « Lu et approuvé, bon pour accord. »

Sous le coup de la colère, je raconte à Serge, en version édulcorée, comment et pourquoi Gilles revenu au manoir la fleur au fusil pour rompre avec Paule a fini par écrire ce peu reluisant acte d'abdication.

Serge ne se montre pas du tout surpris par la stratégie de Paule, d'après lui assez classique. Il connaissait le coup du revolver : une fille s'y était risquée un jour avec lui, dans les mêmes intentions que Paule. Il l'avait désarmée... en éclatant de rire ! Je déplore que Gilles n'ait pas eu cette réaction. Serge, lui, l'excuse.

— Ce n'est pas sa faute. Là comme ailleurs, chacun fait ce qu'il peut avec ce qu'il a. Moi, j'ai deux avantages sur lui dans ce domaine. Le premier : mes sentiments ne dépendent pas de mes plaisirs — escomptés ou réels. Autrement dit mon sexe n'a jamais eu un pouvoir décisionnaire. D'ailleurs, je l'appelle « médor », un nom de chien, pour bien lui montrer que c'est moi qui commande et pas lui !

Je suis obligée de repousser très vite l'image d'un « médor » dépité pour pouvoir enchaîner :

— Et... quel est votre second avantage sur Gilles ?

— Je ne suis pas, comme lui, depuis mon plus jeune âge, victime du virus de la culpabilité.

— Il l'est vraiment ou il en joue ?

Serge s'amuse de mon scepticisme... si proche du sien, à preuve que...

— Le 14 août dernier à Trouville, j'ai posé à Gilles la même question.

— Et alors ?

Et alors Serge a été profondément touché par la réponse de Gilles. Touché par ce gosse de riches qui n'a cessé d'avoir « mal à ses privilèges », qui dès la maternelle s'est senti coupable d'avoir un cartable plus beau que celui des autres, une maison plus grande, un nom plus long; et puis, au fil des années, coupable d'être le premier en classe, le premier en gymnastique, le premier à plaire aux filles; coupable au point d'entrer dans les lieux où il n'était pas connu, en boitant pour avoir une chance — oui, une chance! — d'être plaint.

Serge finit son plaidoyer par le pire :

— A neuf ans, Gilles a perdu sa mère et se souvient très bien d'avoir pensé : « Enfin quelque chose qu'on ne m'enviera pas! »

— C'est affreux!

— Et révélateur d'une âme sensible... qui heureusement, à partir de l'adolescence, a cohabité avec un corps... disons, exigeant.

— Ce qui explique le télescopage immédiat avec l'âme sensible et le corps exigeant de Victoria.

— Voilà! Mais ce n'est pas tout. Ça explique aussi, d'abord son attirance et son attachement pour Paule — victime méritante de la société —, ensuite son semi-détachement quand ladite victime qui comblait son âme sensible s'est déclarée inapte à combler son corps exigeant. Et enfin son re-attachement sous la double pression du corps exultant grâce au revolver et de l'âme fragilisée grâce à la culpabilité paternelle!

Je suis sinon convaincue par la démonstration de Serge, du moins ébranlée. Je sais bien qu'Arnaud — le « verrou de sûreté » — et Agathe — la « bouée de sauvetage » — sont devenus les « boucliers » de Paule. Je conçois que l'amour de Gilles pour Victoria ait pu plier devant eux. En revanche...

Je ne comprends pas que Gilles ne soit pas allé s'expliquer directement avec Victoria.

— Mais parce qu'il est lâche! Il l'avoue lui-même dans sa lettre. Il a le courage d'avouer qu'il n'en a pas.

On ne peut pas lui en vouloir. Surtout vous qui avez un jour dit à mon père que les hommes étaient plus lâches que les femmes parce qu'ils étaient plus sensibles et que de ce fait, ils préféraient fuir leur chagrin plutôt que de l'affronter. Vous vous souvenez ?

— ... Oui... Mais...

— Vous n'allez pas vous déjuger ?

— ... Non... Mais...

— Quoi ?

— Je trouve que l'histoire de Victoria et de Gilles méritait une autre fin.

En tant que femme volontiers idéaliste, je pense très sincèrement ce que je viens de dire.

En tant que romancière, je m'en veux de penser qu'une fin au dixième chapitre... c'est nettement prématuré !

Je sens déjà ma jum' en train de chercher une sortie de secours lorsque Serge lui en laisse entrevoir une en affirmant avec la conviction d'un oracle :

— L'histoire de Gilles et de Victoria n'est pas terminée.

— Vous savez quelque chose ? me pousse à demander ma jum'.

— Pas plus que vous. C'est simplement une impression.

— Aberrante ! tranche ma jum'... qui, par ma voix évidemment, mène désormais la conversation.

— Pourquoi ?

— Vous croyez que Victoria, entière comme elle l'est, serait capable de passer l'éponge ?

— Oui !

— Vous croyez que Gilles, décrit par vous-même comme un culpabilisé tout-terrain et lâche congénital, serait capable de relancer Victoria ?

— Oui !

— Allons ! Soyez sérieux !

— Je le suis. Je pense sérieusement que le trio Gilles-Paule-Victoria se reformera, comme en d'autres temps s'est reformé le trio de mon père, de ma mère et d'Hélène.

— Mais... quand ? Comment ? Pourquoi ?

— Une seconde !

Serge se met à taper de la main gauche sur un clavier imaginaire, à manœuvrer de sa main droite sur son crâne une souris également imaginaire et les yeux scotchés sur un écran bien entendu imaginaire. Il cesse très vite ce jeu pour m'annoncer :

— Mon ordinateur interne me signale qu'il y a mille deux cent quarante-sept réponses pour chacune de vos questions. Alors, comme j'ai une petite faim, une petite soif, et une grande envie de bavarder dans la détente, je vous propose d'activer conjointement nos mandibules et nos méninges. Vous êtes d'accord ?

Comment ne pas l'être, alors qu'il est déjà en train de déboucher la bouteille de vin qu'il a apportée ?

Je congédie ma jum'... qui, je la connais, va rester quand même planquée dans un coin de ma tête, et je trinque avec Serge à la reconstruction de Victoria, puis à son redémarrage aux côtés de Gilles. Il n'en faut pas plus à ma jum' pour revenir et soulever sous mon front les mêmes questions que précédemment : Où ? Quand ? Comment ?... que je ressers à Serge. Nous échangeons alors toutes sortes d'hypothèses, des plus plausibles aux plus invraisemblables. Avant de nous quitter, la tête aussi vide que la bouteille et les cartons du traiteur, nous parions sur la date de ces problématiques retrouvailles.

L'humour en embuscade au coin de ses fossettes, Serge parie qu'elles auront lieu le 2 octobre : le jour de la Saint-Léger, son saint patron !

Ma jum' et moi parions sur le 1ᵉʳ janvier prochain : date anniversaire de leur coup de foudre à Chamonix.

Ah ! J'oubliais ! L'enjeu du pari : une confidence ! Si je gagne Serge m'en offrira une. Si je perds, ce sera moi qui lui en offrirai une.

Eh bien, nous avons perdu tous les deux ! Et nous avons gardé nos confidences... pour une prochaine fois.

# Chapitre 11

Fin septembre, un peu moins d'un mois après mon dîner avec Serge, Paule, de sa voiture, m'annonce qu'elle va passer me voir « en coup de vent ».

Elle reste deux heures « en brise musarde ». Elle est revenue depuis une semaine de sa croisière de réconciliation à travers les édens méditerranéens, en l'occurrence paradis très superficiels. Elle tient à me montrer son bronzage — totalement réussi — et les photos souvenirs de leur périple, partiellement ratées : celles qui sont floues ont été prises par Gilles, l'œil et l'esprit embués. Les autres, par elle. Sur ces dernières, ne figure aucun paysage. Rien que des passagers, dans l'exercice de leurs diverses fonctions de touristes conscients et organisés. Parmi ceux-ci, deux jeunes femmes, assises, debout, allongées ; en robe du soir avec vue plongeante sur une poitrine « made *in* silicone », en short avec vue sur des jambes de pub, en robe du soir avec vue panoramique sur l'ensemble des paysages...

Paule m'interroge pour la forme :

— Ravissantes, non ?

— Très. Rien à jeter.

— En plus, gentilles... je n'te dis pas !

— Tu as raison : ne me dis pas, je devine très bien !

— Et pas bêcheuses pour deux sous !

— Et surtout pas pour plus !

Imperméable à mon ironie, Paule s'émeut de l'indifférence de Gilles pour ces deux créatures de rêve :

— Pas un regard ! Il passait ses journées, appuyé au bastingage, les yeux fixés sur l'horizon.

— Il avait peut-être le mal de mer.

— Penses-tu ! Il avait le mal de « l'autre ».

— Victoria ?

— Evidemment ! Pour le moment, elle est la seule « autre ». Depuis qu'il l'a plaquée, elle est plus présente que quand elle était là. Et lui, en revanche, en étant là, il est complètement absent. Du matin au soir... et des pieds à la tête ! Incroyable ! Lui qui prenait feu comme de l'étoupe, il est devenu ininflammable.

— Eh bien... ça t'arrange plutôt, non ?

— Oui, au lit ! Mais pas ailleurs : j'aimerais bien qu'il soit un peu moins... anachorète.

Etonnée d'entendre ce nom dans la bouche de ma filleule, je répète :

— Anachorète ?

— Oui, c'est Florence qui dit ça.

— Ah...

— Ce sont des ermites, si tu veux.

— Oui, oui, je sais. Et... Gilles est devenu anachorète ?

— Tout à fait ! On ne sort plus. On ne reçoit plus. Il mange à peine. Il ne parle plus. Il écoute de la musique... sinistre, genre requiem pour un amour défunt. Il ne s'intéresse plus à rien. Sinon aux enfants... et à ses fameux QM... qui dans leur genre sont moins handicapés que lui !

— A ce point-là !

— Je te jure ! C'est au point qu'il y a des moments, je regrette sa « greluche ».

J'ai à peine le temps de remarquer ce nouveau nom de Victoria que Paule précise :

— C'est Florence qui l'appelle comme ça.

Le 1er octobre, Victoria sort enfin de sa tanière pour venir dans ma niche. Elle ne va visiblement pas bien. Elle m'affirme pourtant qu'elle va mieux, grâce à son traitement de choc :

— J'ai augmenté les doses de travail, de sport, de bénévolat. Je me shoote à l'activité. Je n'ai vraiment pas une minute à moi.

— Et pas une minute non plus pour penser à Gilles ?

— Ça, c'est beaucoup dire ! D'autant qu'il ne m'aide pas à l'oublier : au retour de sa croisière pourrie, il a envoyé un gros chèque aux « Quand Même », accompagné de sa carte de visite, avec sous son nom la mention : « Absent de lui-même ».

— C'est joli.

— Hélas !

— Tu n'as pas répondu ?

— Indirectement... en tapant sur mon punching-ball, comme une forcenée, avec une insulte à chaque coup.

— Tu ne veux pas que Serge ou moi, nous essayions de le joindre, pour lui demander de ne plus se manifester auprès de toi ?

— Non... Au fin fond de moi-même, j'aime encore mieux la lueur d'une flammèche que le noir total.

— Je comprends, mais... ça ne facilite pas l'oubli.

— Oh... de toute façon...

Par curiosité, une fois seule, je cherche dans le Petit Robert la définition précise du mot « flammèche ». Je lis : « Parcelle enflammée qui se détache d'un brasier, d'un foyer. » Suit en exemple une phrase de Victor

Hugo : « De longues flammèches s'envolaient au loin et rayaient l'ombre et on eût dit des comètes combattantes. » Toujours par curiosité, je cours après la comète à travers les pages du dictionnaire et je m'arrête à la quatrième définition qui en est donnée : « Etoile à huit rayons et à queue ondoyante. » J'ai souri en me demandant quels pouvaient bien être les huit rayons de cette comète combattante qui s'appelait... Gilles de La Rivandière !

1er novembre.
Une nouvelle flammèche tombe dans le blockhaus de Victoria : deux mains sculptées dans du bois. Les doigts sont repliés sur la paume, rendant celle-ci à peine visible. Sur l'amorce du poignet, une phrase gravée : « Que savoir jamais ? Pour l'essentiel l'homme est ce qu'il cache. » Juste à côté, comme une ponctuation : une petite bougie bleu pâle dans son réceptacle.
Ni Victoria ni moi ne savons qui est l'auteur de la phrase. Serge nous a renseignées : Malraux. Il a ajouté ce commentaire de circonstance :
— Un homme à l'image de Gilles... pudique et malheureux.
Solidarité masculine oblige !

2 novembre.
— Allô ! Oui, c'est moi. Qui est à l'appareil ? Qui ? Je n'ai pas entendu.
— Paule ! Je suis grippée.
— Tu es à Paris ?
— Non ! Au manoir. Comme d'habitude pour la Toussaint, on va sur la tombe de mon beau-père ! Gilles lui doit bien ça...
— Toi aussi !
Fausse petite toux de ma filleule, destinée à dévier la conversation :

— Je me doutais bien que j'allais attraper la crève au cimetière, mais je ne voulais pas laisser Gilles tout seul. Un jour comme celui-là. Déjà que les autres jours, il me tire une tête de croque-mort... qui en découragerait plus d'une, moi je te le dis !

— Mais qui toi ne te décourage pas ?

— Ben non ! Ce n'est pas le moment ! Maintenant que « la greluche » est lourdée, le plus fort est fait !

— Oui, je comprends.

— Mais quand même, j'en ai un peu assez et je suis en train de manigancer un truc pour réanimer les neurones de Gilles !

— Ah bon ! Un truc... dans le genre du revolver ?

— Ah non, merci bien ! Dans le genre... immobilier !

Ravie de ma surprise, Paule s'explique, la voix de plus en plus claire. Au départ de son « truc », les Frémont, leurs voisins. Victimes de deux tentatives de cambriolage, ils ont décidé de vendre leur propriété et d'acheter sur la côte, entre Cabourg et Trouville, un appartement, plus sécurisant et plus gai.

Peu à peu, sous la pression conjointe de Paule et de Florence, Gilles a envisagé la possibilité d'effectuer une opération similaire. Il se rend bien compte que le manoir perd chaque année un peu plus de son intérêt pour ses deux enfants et pour Paule. Et qu'effectivement un appartement entre ville et plage serait plus agréable et plus facile à gérer.

En fin de compte, il a accepté de participer à la prospection immobilière organisée pour ce jour de Toussaint par Paule et Florence.

Après bien des visites débilitantes, il a été sensible au charme d'un appartement d'angle avec vue à cent quatre-vingts degrés sur la mer, au dernier étage d'un petit immeuble situé dans ce qu'on pourrait appeler les « faubourgs » de Deauville, si ce mot n'était incongru à deux encablures des célèbres planches où Paule s'imagine déjà, savourant le double plaisir de voir et d'être vue.

— Bref, pour te la faire courte, me dit Paule après m'avoir expliqué en long et en large la situation, bref, Gilles veut bien acheter l'appartement deauvillais, mais à condition de vendre avant le manoir.

— C'est normal.

— Non ! Il pourrait très bien vendre à la place un des nombreux appartements parisiens de son patrimoine. Mais ça, il refuse catégoriquement. Je ne comprends pas pourquoi.

Moi, je devine : les mètres carrés de la capitale, plus chers et plus rapidement négociables que ceux de la campagne, doivent être, dans l'esprit de Gilles, réservés aux « Quand Même ». Mais, bien sûr, je n'en dis rien à ma filleule et me contente de supposer que...

— Gilles veut sans doute se laisser le temps de réfléchir : pour lui, le manoir c'est quelque chose de...

— C'est une source d'emmerdes ! Point barre.

— Rien d'autre, tu es sûre ?

— Ecoute, à un moment, c'est lui qui voulait s'en débarrasser et moi qui lui ai conseillé d'attendre.

— Il y a longtemps ?

— Non ! Il doit y avoir... ah ben tiens ! Même pas un an : c'était juste avant sa rencontre avec « l'autre ».

15 décembre.
Paule, aussi furieuse qu'étonnée, m'apprend successivement :
Premièrement : qu'elle a découvert « par hasard » (en fouillant sans doute dans les papiers de Gilles) qu'il a vendu un de ses chers, très chers F6 haussmanniens (plaisante antinomie langagière de ma filleule) pour une somme rondelette.

Deuxièmement : que cette somme rondelette a été affectée à l'achat d'un hangar et à la transformation de celui-ci en une salle polyvalente pour les « Quand Même », et situé d'ailleurs à Asnières, à proximité du siège social de leur association.

Troisièmement : que la candidature de Gilles, à titre de chevalier dans l'ordre du Mérite, venait d'être proposée par un certain M. Millet, président de l'AQM.

De nouveau anorexique du vocabulaire, aux trois informations de Paule, j'ai répondu : « Ça alors... »

17 décembre.

Victoria, indulgente à son corps défendant, m'apprend que Gilles lui a envoyé :

Premièrement : rue Villaret-de-Joyeuse, une troisième flammèche sous la forme d'une deuxième sculpture sur bois, représentant les deux mêmes mains que la première, mais plus ouvertes, au-dessus d'une paume plus visible, avec également sur le côté une petite bougie, mais d'un bleu un peu plus soutenu que l'autre, et à l'amorce du poignet, une autre phrase message : « L'œuf a l'air d'être en marbre avant d'être cassé. »

Deuxièmement : que les « Quand Même » ont reçu un chèque aussi important que le précédent, accompagné évidemment d'une carte de Gilles. Sous son nom, il avait dessiné un petit bonhomme dont, à chaque main, l'index et le majeur formaient le V de victoire... ou de Victoria !

Troisièmement : que M. Millet avait proposé sa candidature au titre de chevalier dans l'ordre du Mérite, en même temps que celle de Gilles. Elle espérait bien que la demande de son président serait refusée. Du moins, celle qui la concernait.

Avec Victoria, je me serais volontiers étalée sur les commentaires, mais elle m'en a dispensée avec un péremptoire : « Ce n'est pas la peine. Je sais ce que tu penses. » Alors, amicalement disciplinée, je me suis contentée de répondre globalement :

— Tiens-moi au courant.

25 décembre.

Tôt le matin, le père Noël a déposé une quatrième flammèche devant la porte de Victoria : une main, encore recroquevillée, face à une main déjà ouverte. Le bleu de la bougie était celui d'un azur soutenu. La phrase d'accompagnement était empruntée à François Villon : « Tant crie l'on Noël qu'il vient. »

— Joli message d'espérance, ai-je dit à Victoria.

— Et de persévérance, a-t-elle ajouté.

31 décembre.

Cinquième et sixième flammèches. Victoria m'avoue qu'elle les attendait. Surtout celle qui évoquait le premier anniversaire de sa rencontre avec Gilles : les deux mains à l'horizontale étaient tendues l'une vers l'autre. La bougie était rouge. Pour l'illustrer, une phrase de *On ne badine pas avec l'amour* : « Mais il y a au monde une chose sainte et sublime, c'est l'union de deux de ces êtres si imparfaits et si affreux. »

Victoria se délecte :

— Il avait bien du talent le bel Alfred !

— Certes, mais en l'occurrence, il a piqué sa phrase dans une lettre que lui avait envoyée George Sand.

— Et alors ? Ça ne t'est jamais arrivé de replacer dans un bouquin une phrase, une idée, ou une situation que tu as entendue, ou lue, ou vue ?

— Oui... Peut-être...

— Sûrement ! Tous les auteurs sont des anthropophages... de l'âme ! Ils bouffent la leur et celle des autres ! Si ça se trouve, tu es en train de bouffer la mienne pour nourrir un prochain roman !

Déjà en train de mastiquer, je m'inquiète :

— Tu ne m'en voudrais pas ?

— D'autant moins qu'accommodée à ta sauce, je ne me reconnaîtrais sans doute pas !

Soulagée par cette absolution... avant terme, j'en reviens à la phrase choisie par Gilles pour sa sixième flammèche :

— N'empêche que George Sand n'a pas dû être très contente de voir sa phrase sous la plume de Musset.

— Si, au contraire ! L'auteur, en elle, a dû être flatté : c'était un hommage à son talent. Et la femme a dû, elle, en être heureuse : c'était la preuve de leur pensée fusionnelle.

— Comme toi, en somme, tu es heureuse que Gilles ait choisi cette phrase que tu aimes ; choix révélateur de votre pensée... également fusionnelle...

— Ça, c'est toi qui le dis.

J'ai failli répondre :

— Et qui vais l'écrire !

Mais je me suis abstenue.

L'autre flammèche de la Saint-Sylvestre était une cinquième sculpture : les doigts des deux mains — toujours les mêmes — s'y croisaient en faisceau au-dessus des deux paumes écartées. La bougie, rouge encore, pleurait des larmes de cire. Tourgueniev, à cette occasion, prêtait main forte à Gilles : « Le temps qui vole parfois comme un oiseau, se traîne comme une tortue. »


1er janvier.

Jour où Victoria fêtait — façon de parler — ses trente-sept ans, c'est moi qui lui ai remis sa septième flammèche. J'avais trouvé dans ma boîte aux lettres un petit paquet à l'emballage sommaire. Y était agrafée

une enveloppe rose en forme de cœur... à mon nom !
J'ai pensé, étant ce matin-là d'humeur badine :
« Tiens ! Paul Newman ! » Puis, l'ayant ouverte, j'y ai
découvert un bristol blanc où Gilles me remerciait « à
l'avance de bien vouloir être sa messagère — sinon son
avocate — auprès de qui vous savez, et de lui remettre
en mains propres le pense-cœur ci-joint ».

Je n'ai pas eu le temps de prévenir « qui je savais » :
la susnommée a déboulé chez moi en jogging, avec sur
son bonnet un badge « bonne année » qu'elle m'a
montré sans conviction et dans les mains un pot de
grès, rempli de stylos-feutres multicolores, décoré de
piles de livres, qu'elle m'a tendu avec un clin d'œil et
sans un mot.

Echange de bons procédés : avec le même silence
complice, je lui ai donné le paquet que Gilles lui desti-
nait. Impatiente, elle en a déchiré l'emballage. Etonnée, elle a découvert un cadre orné de motifs
décoratifs non identifiables à première vue, abritant
sous verre une photo du style carte postale. Elle exa-
mina le tout de plus près. Elle s'aperçut qu'autour du
cadre tournaient des oiseaux aux ailes déployées qui
tiraient des tortues, accrochées à leurs pattes. A l'intérieur du cadre, la photo était celle des deux modèles
— un oiseau et une tortue dans leur exercice de haute
voltige. C'était bien sûr, touchante dans sa naïveté,
l'illustration de la phrase de Tourgueniev.

— C'est charmant, dis-je avec objectivité.

— C'est merveilleux ! murmura Victoria avec
subjectivité.

J'ai approuvé avec modération.

Elle m'a expliqué avec enthousiasme :

— Ce n'est pas l'objet en soi qui est merveilleux,
c'est sa réalisation : la volonté qu'elle a nécessitée et la
sensibilité qu'elle cache.

— Celle de Gilles ?

— Pas seulement ! Regarde ce qui est écrit derrière le cadre.

J'y lis un prénom de feuilleton : « Tanguy ». Un nom de guerre : « Quand Même ». Une devise de paix « Marche ou rêve ». Je confirme spontanément que...

— Oui, c'est merveilleux !

— Hélas... Gilles est merveilleux.

J'ai cru à cet instant que Victoria allait s'envoler vers ce « Gilles quand même » ; que moi qui avais parié avec Serge sur leurs retrouvailles pour le 1$^{er}$ janvier, j'avais gagné ! Je me suis vue déjà en train de réclamer au perdant la confidence qui était en jeu.

J'ai eu tort ! A la septième flammèche, les murailles de Victoria ne sont pas tombées !

8 janvier.

Paule me balance un « bonne année ! bonne santé ! » désinvolte. J'y réponds par un « tous mes vœux pour toi et les tiens » aux sous-jacences lassées. Cela suffit néanmoins à ma filleule pour entrer dans le vif du sujet :

— C'est surtout Gilles qui aurait besoin de tes vœux.

— Ah bon ? Il est toujours... anachorète ?

— Pire ! Il me vire « monsieur d'œuvres ».

— Monsieur d'œuvres ?

— Oui, le masculin de dame d'œuvres.

— C'est drôle !

— Pas pour moi ! L'association des QM est devenue sa nouvelle danseuse ! Autrement plus coûteuse que « l'autre », et plus accaparante !

Je fais semblant de m'étonner :

— Coûteuse, l'AQM ?

Paule, elle, ne fait pas semblant d'être furieuse : Gilles vient de vendre un F3 cette fois pour payer l'insonorisation et la sonorisation de l'ancien hangar d'Asnières en passe de devenir, à en croire Paule, une succursale du Palais des Congrès.

J'aborde l'autre versant de la colère de Paule avec le même étonnement :

— Accaparante, l'AQM ?

Paule m'y rejoint avec la même fureur :

— Cet illuminé de Gilles y passe maintenant tous ses après-midi comme « entraîneur », non pas sportif mais artistique. Il essaye de dénicher des talents en boutons ou de ranimer des talents naguère éclos mais amoindris par un mauvais coup du sort. C'est comme ça que depuis quelque temps, il « drive » — *dixit* Paule — un certain Tanguy « qui a les jambes en plomb mais des mains en or » (*dixit* Gilles) ; un sculpteur sur bois, un peu « chtarbé » (*dixit* Arnaud) ; son dernier chef-d'œuvre « absolutely débile » (*dixit* Agathe, école bilingue !) : une tortue remorquée par une hirondelle !

En conclusion, ma filleule émet les mêmes plaintes que précédemment sur la vie de nonne que son moine de mari l'oblige à mener... et le même regret de l'absence de Victoria avec toutefois une légère variante : elle ne l'appelle plus « la greluche ». Elle est redevenue « l'autre ».

Au moins, me dit-elle, avec « l'autre » Gilles était de bonne humeur !

— Tu ne peux quand même pas lui demander de revenir !

— Moi... non ! Mais peut-être quelqu'un d'autre.

— Pas moi en tout cas.

— Non ! Ne crains rien, je sais que tu n'es pas interventionniste.

— Qui alors ?

— Ah... secret défense !

26 février.

C'est le samedi qui précède les vacances scolaires. Victoria, haletante et rougeoyante dans son survêtement, investit le divan de mon bureau. Les yeux clos, la tête entre les mains, elle effectue une plongée dans ses profondeurs. Elle en ressort le poumon libre mais l'esprit encore agité.

J'en sais très vite la raison : Arnaud de La Rivandière — le fils de... — lui a téléphoné ce matin aux aurores. La voix blanche, il lui a demandé de la voir de toute urgence. Et bien sûr, elle l'a vu une demi-heure plus tard, dans un bistrot près de chez elle.

— Qu'est-ce qu'il voulait ?

— Me dire que son père ne se remettait pas de notre rupture ; qu'il ne desserrait les dents que pour parler des « Quand Même » — ce qui était une façon détournée de parler de moi ; que l'état dépressif de son père, au lieu de s'améliorer avec le temps, s'aggravait de jour en jour ; que sa mère après avoir gardé son calme commençait à s'inquiéter sérieusement ; que sa sœur, stressée par l'atmosphère pesante des dîners familiaux, devenait peu à peu anorexique ; et que lui craignait le pire depuis qu'il avait découvert hier soir dans un tiroir du bureau de son père un livre sur « Le meilleur moyen de se supprimer ». C'est, bien sûr, à cause de cela qu'il m'a appelée ce matin, après une nuit d'insomnie : j'étais son SOS-Secours.

Depuis toujours impressionnée par la tentation suicidaire, je demande, la voix mal assurée :

— Qu'est-ce que tu comptes faire ?

— J'ai déjà fait. Du bistrot, j'ai téléphoné à Gilles. Il était au manoir. Il sera chez moi pour le déjeuner. Tu peux me raccompagner en voiture ?

Pendant le court chemin qui sépare nos deux domiciles j'ai lancé à Victoria, négligemment, comme s'il s'agissait d'une hypothèse un peu saugrenue :

— Tu ne penses pas qu'Arnaud a pu être télécommandé par sa mère ?

Victoria hausse les épaules : en appelle à ma raison.

— Enfin, réfléchis ! En septembre Paule a employé les grands moyens pour se débarrasser de moi, pourquoi voudrais-tu que moins de six mois plus tard, elle essaye de me remettre dans le circuit ?

Je laisse Victoria attendre ma réponse, comme si je la cherchais. Puis je la lui sers, nimbée d'incertitude :

— Peut-être... peut-être a-t-elle compris à retardement que dans le genre « suppléante » tu lui offres un rapport qualité prix quasiment imbattable.

— Qu'est-ce que tu veux dire ?

— Eh bien... que des femmes comme toi, qui subviennent seules à leurs besoins, qui sont comblées par un compagnonnage discret, hors frontières mondaines, sans visée conjugale, financière, maternelle ni relationnelle... il n'y en a pas tellement.

Bien que vaguement ébranlée par mon argument, Victoria le combat avec l'énergie qui lui est propre :

— Si je suis comme tu le dis une « suppléante » d'un modèle si rare, pourquoi Paule ne m'a-t-elle pas gardée précieusement près de son mari ?

— Peut-être... peut-être parce qu'à ce moment-là il n'était plus question de la suppléer, mais de la remplacer. Elle t'a beaucoup appréciée tant que tu as été une doublure discrète et talentueuse. Mais dès qu'il a été question que tu deviennes une titulaire, elle s'est arrangée pour te virer.

Victoria reste silencieuse. Je sens bien qu'elle ne rejette pas mon hypothèse ; qu'elle la range dans le « garde-penser » de sa mémoire avec peut-être l'idée de la ressortir un jour. Mais, pour le moment, elle préfère son hypothèse à elle :

— Moi, je croirais plus volontiers que c'est Gilles qui a eu l'idée de m'envoyer son fils avec mission de m'attendrir et de m'inquiéter.

— Mission réussie, j'ai l'impression?

— Complètement : j'ai été inquiète. Et je suis attendrie.

— Tant mieux! C'est la seule chose qui compte.

— Non! La suite compte aussi. Et même plus! Qu'est-ce qu'il va se passer maintenant?

— Comme d'habitude : l'imprévisible!

— Merci bien! Un joli nid à questions, ta réponse!

Ces questions je les devine entre ses yeux inquiets et son sourire confiant.

Salut Victoria et courage!

A vous de jouer, lutins du hasard!

Pile ou face? Dieu ou diable? Rose ou noir? Meilleur ou pire?

Victoria met fin à ce suspense dans la soirée par le fax suivant : « Nous avons eu droit au meilleur. Débrouille-toi pour l'imaginer. Après tout, c'est ton métier. Moi je suis incapable de le décrire... ni de l'expliquer. »

Alors... sourire aux lèvres et plume à la main, j'ai imaginé le meilleur : un « best of » des retrouvailles classiques, indémodables, du répertoire amoureux — version gaie!

Les questions idiotes : « Pourras-tu oublier? »

Les réponses imprudentes : « Je suis incapable de t'en vouloir. »

Les serments abusifs : « Je te jure que je ne pouvais pas agir autrement. Mais que ça ne se reproduira plus jamais. »

Les élans irrépressibles : « On efface tout et on recommence! »

Les résolutions enthousiastes : « Plus haut qu'avant! Plus fort qu'avant! »

Les sommations sans appel : « Viens ! Viens ! Viens ! »

Changement de décor. Changement d'éclairage.

Les appellations contrôlées : « Toi ! Toi ! Toi ! »

Les supplications essoufflées : « Donne ! Donne ! Donne ! »

Les abdications divines : « Prends ! Prends ! Prends ! »

Les silences... inqualifiables !

Les vœux pieux : « Je voudrais t'emporter avec moi ! »

Les vœux réalistes : « Reste ! »

Les projets (à long terme) : « A toujours ! »

Les projets (à court terme) : « A demain ! »

Rideau !

La suite se passe en coulisses :

Elle d'un côté, regagnant sa chambre, titubante : « Heureusement que je n'ai pas à me lever demain matin ! »

Lui, bâillant sur le palier en attendant l'ascenseur : « Pourvu que ma femme dorme quand je vais rentrer ! »

Il va sans dire que ce best of ne constitue qu'un condensé basique des retrouvailles entre un homme et une femme. Chacun peut et même doit y ajouter selon son goût des piments ou des édulcorants de toute nature. N'empêche que pour l'essentiel, croyez-moi, ça s'est passé comme ça entre Victoria et Gilles.

Juste un détail pour personnaliser la scène : Gilles est arrivé à ce rendez-vous de la deuxième chance avec deux autres mains en bois sculpté, verticales, collées l'une contre l'autre. Sur l'amorce du poignet cette phrase de Philippe Hériat : « Bienheureux celui qui sur le chemin de son amour rencontre l'insurmontable obstacle. »

C'était la huitième flammèche...

Mais sans doute pas le dernier obstacle.

# Chapitre 12

Depuis ses retrouvailles avec Gilles, Victoria m'a annoncé sa visite trois fois. Elle s'est décommandée trois fois.

La première pour cause de réunion passionnante avec les membres de l'AQM : « Je t'expliquerai. »

La deuxième, pour cause de discussion exaltante avec Serge : « Je t'expliquerai. »

La troisième, pour cause d'extase prolongée avec Gilles : « Je ne t'expliquerai pas ! »

La quatrième fois est la bonne. D'une voix bourgeonnante de gaieté Victoria me donne rendez-vous pour dîner, le 21 mars, au Sourire du printemps, un restaurant chinois de mon quartier.

Nous y arrivons ensemble, un peu en avance, amusées de notre ponctualité commune. Elle a son casque blanc de motocycliste au bras et sa tignasse de cheveux bruns autour de son visage de clown heureux.

— Où as-tu mis ta moto ?

— Devant la salle où je répète avec mes copains handicapés. Là.

Victoria me désigne un endroit que j'identifie aussitôt comme étant une ancienne salle paroissiale transformée en un fort joli théâtre.

— Vous répétez quoi ?

— Un spectacle dédié à l'Espoir.

— Joli programme !

— « Le hope-show ».

— Joli titre !

— La suite à l'intérieur, m'annonce-t-elle en m'indiquant la porte du restaurant.

Installées maintenant à notre table et notre commande passée, Victoria, toujours méthodique, commence son histoire par le commencement.

Lieu de départ ? Le caravansérail d'Hélène Vollard à Trouville.

La date de départ ? Le 26 septembre. A l'issue d'un week-end que Serge y a passé exceptionnellement seul et silencieux.

L'enclencheur ? Un dossier bleu qu'Hélène a découvert sous le lit de Serge en remettant un peu d'ordre dans sa chambre encore plus bordélique que d'habitude.

Le déclencheur ? Un Post-it rose en forme de poisson sur la couverture de ce dossier. Serge y avait écrit : « La pêche aux mots ».

Hélène mit une demi-seconde à décréter que pour elle cette pêche-là était ouverte. Elle s'en félicita, ramenant au bout de sa ligne (de mire) toutes sortes de mots groupés sous des formes différentes : fables, maximes, sketches, poèmes, monologues, contes, dialogues à bâtons rompus. Chaque morceau ayant été jeté sur le papier « dans un état d'exubérance sans doute inhabituel chez le sujet », selon les termes de Victoria alertée par Hélène, en tant que graphologue... et amie du scripteur. A ce dernier titre, elle fut étonnée et séduite par les textes de Serge, tellement insolites, allant de la cocasserie à la gravité, de la satire à l'élégie, de la prose à la poésie. Si étonnée, si séduite que dans un grand élan d'enthousiasme, elle courut lui avouer tout à la fois l'indiscrétion d'Hélène et leur admiration commune. Il oublia l'indiscrétion. Ne retint que l'admiration.

— Il a été surtout touché, me dit Victoria, d'apprendre que sa « pêche aux mots » avait été pour moi vraiment miraculeuse.

— Comment ça ?

— Depuis ma rupture avec Gilles, c'était la première fois que j'arrivais à m'accrocher à une lecture ; la première fois que mon crâne cessait de moudre des idées noires ; la première fois qu'enfin il se débloquait et me laissait entrevoir un embryon de projet... qui a bien grandi depuis !

— Quel genre de projet ?

Victoria ne se fait pas prier pour me raconter qu'il s'agit d'un spectacle, depuis hier en répétition, dans la salle voisine de notre restaurant. Spectacle musico-visuel qui mélange le mime et la parole, le rire et l'émotion. Spectacle où s'illustreront aussi bien les talents des handicapés que ceux de leurs anges gardiens. Spectacle qui permettra aux participants éclopés d'oublier — un peu — leur malchance et aux spectateurs d'apprécier leur chance.

Le hope-show a un géniteur : Serge, qui a fourni la fameuse petite graine indispensable à toute naissance. Une sage-femme avisée : Hélène, qui l'a transplantée, et une mère porteuse : Victoria, qui a contribué à son développement.

Tous les jours depuis des mois, par fax, par portable ou de vive voix, les trois « parents » ont nourri leur bébé spectacle des fruits de leur réflexion. La gestation vient de se terminer. Gilles, au lendemain de ses retrouvailles avec Victoria, y a participé avec sa tête... et son cœur. C'est grâce à lui, entre autres, que l'AQM a pu louer une salle de répétitions. L'accouchement y a commencé. Il sera difficile, délicat, mais il se terminera impérativement le 14 Juillet.

— Pourquoi impérativement?

— Parce que ce jour-là, la mairie de Trouville nous prête la salle de spectacle du casino pour que nous y donnions une représentation... au bénéfice bien entendu de notre association.

— C'est magnifique!

— Inespéré!

— Mais combien êtes-vous dans la troupe?

— Douze : six handicapés. Deux de Trouville, quatre de Paris, et six valides dont Hélène, Gilles et moi, les trois autres étant trois bénévoles de l'AQM.

— Gilles participe au spectacle?

— Et comment! C'est lui qui le présente et qui en est, si tu veux, le fil conducteur. Avec Tanguy et une douzaine de marionnettes que Tanguy a fabriquées sur les directives de Serge.

— Tous les textes sont de lui?

— Oui, même ceux des chansons interprétées par les deux protégées d'Hélène.

Je dois insister pour apprendre qu'il s'agit de deux violonistes accidentées le jour même où elles venaient d'être engagées dans un grand orchestre et qu'Hélène a remises au violon comme Victoria l'a remise, elle, au piano qu'elle avait abandonné pour une cause plus futile.

Je dois insister encore plus pour savoir que les deux violonistes handicapées vont aussi chanter, accompagnées au synthé par Hélène et qu'Hélène, elle, va chanter, accompagnée par ses deux « récupérées ».

J'insiste un maximum auprès de Victoria pour lui soutirer quelques détails sur son rôle dans le futur spectacle, mais je n'obtiens que ce minimum :

— Je suis la coordinatrice.

— Tu ne vas pas y faire ton numéro de clown ? Comme à Chamonix ?

— Non. C'est un numéro destiné aux enfants. Et le hope-show s'adresse à une clientèle d'adultes.

— Mais pourtant, les numéros de marionnettes que Gilles et Tanguy préparent...

— Tu verras. Enfin, tu verras... si tu viens !

— Evidemment que je viendrai !

— Alors, tu n'as plus qu'à attendre le 14 Juillet. Mais d'ici là, je te préviens que je ne te verrai pas souvent : entre mon boulot que j'adore, mon hobby qui me passionne, et Gilles... qui n'est à aucun point de vue le repos de la guerrière...

— Mais...

— Je te téléphonerai. Il m'attend.

Je regarde ma montre et m'étonne :

— La répétition commence si tôt que ça ?

Elle rigole :

— Non ! Mais j'ai rendez-vous avant avec Gilles dans la loge pour répéter... *On ne badine pas avec l'amour* !

Je rigole à mon tour.

Elle s'en va. Court. Vole. Plane...

Et un quart d'heure plus tard je récupère chez moi un petit tas de déceptions et de doutes qui exhalent en trois temps :

— Gilles est parti pour la Normandie...

— Oh.

— Ta filleule vient d'être hospitalisée.

— Ah...

— Paraît-il !

# Chapitre 13

Victoria tourne en rond dans mon bureau et dans sa tête.

Elle s'efforce au calme... avec nervosité! Et à l'objectivité... avec modération!

Autant pour elle que pour moi, elle recadre sa situation sentimentale depuis son nouveau départ avec Gilles sous le ciel bleu ardent de « Nirvana-sur-pardon ».

Il a juré « plus jamais ça ».

Elle a arraché courageusement tous les lambeaux de rancœur accrochés à ses pensées. Désinfecté tous les petits bobos du cœur à l'alcool de vérité. Etabli un protocole de soins pour éviter les récidives.

Au terme de ce protocole, il était convenu que Gilles ne divorcerait pas; qu'il cohabiterait avec sa femme en étranger courtois; qu'il consacrerait dans la semaine toutes ses soirées à Victoria, ainsi qu'un week-end sur deux et un mois de vacances. Aujourd'hui vendredi, c'était le début de *son* week-end.

Paule était partie seule pour le manoir (Arnaud et Agathe ayant été invités par leurs copains respectifs), plus tôt que d'habitude. Elle affichait une « humeur particulièrement détendue » selon Gilles qui avait salué au passage la force de caractère de sa femme... au grand agacement de Victoria. Mais elle avait réussi à se taire. Gilles, lui, avait réussi à ne pas entendre son silence... et à enchaîner, en attendant les « tartare-salade » de leur déjeuner, sur le programme commun de leur soirée : l'avant-répétition dans la loge annoncée comme « prélude à jouer allegrissimo » et l'après-répétition, rue Villaret-de-Joyeuse, espérée comme une symphonie à jouer fortissimo.

Et puis il y avait eu le message laissé à Serge... pendant notre dîner, puisque par malchance... ou par chance, Victoria avait fermé son portable. Elle l'a rappelé. Il avait fermé le sien. Elle n'a pas eu le courage de rester à la répétition. Elle est venue chez moi vider son sac. D'ailleurs sans résultat : à bientôt 22 heures, il y a toujours dedans moitié déception et moitié doute.

Victoria rappelle Gilles pour la énième fois. C'est la bonne ! Il est au bout du fil. Mieux ! Il est seul. Il est dehors. Il allait l'appeler. Pour lui raconter... tout ce qu'elle me raconte à présent, dans les moindres détails et dont voici les grandes lignes :

Paule, en visite amicale chez sa voisine gynéco, a été prise subitement de fortes douleurs abdominales. La toubib, par prudence, l'a fait entrer à l'hôpital de Lisieux. Gilles y est arrivé à 21 heures. Il a trouvé sa femme dormant paisiblement dans une chambre avec à ses côtés sa copine médecin en train de lire un magazine. Cette dernière a expliqué à Gilles que Paule était actuellement sous calmants et qu'elle subirait seulement demain matin une batterie d'examens qui permettraient au corps médical de statuer sur son cas... pour le moment incompréhensible.

Juste après cette explication, Paule avait ouvert les yeux, remercié son mari de s'être dérangé et murmuré que « s'il souhaitait téléphoner à Victoria — puisque c'était *son* week-end — il fallait qu'il sorte, car à l'intérieur de l'hôpital le portable ne passait pas ». Deux minutes plus tard, reconnaissant, il s'extasiait dans l'oreille de Victoria interloquée : « C'est quand même incroyable que, somnolente comme Paule était, elle ait pensé à ça ! »

Oui, c'était incroyable ! Mais lui, Gilles, le croyait sans l'ombre d'un doute. Et quand Victoria s'est permis d'ironiser sur l'efficacité du somnifère... il a soupiré dans l'appareil : « Décidément, tu ne changeras jamais ! » Victoria a répondu : « Toi non plus... hélas ! » Et elle a coupé la communication.

Elle vient de me la raconter et la conclut par cette question sans doute intemporelle :

— Comment un homme intelligent peut-il être aussi con ?

Je réfléchis. Pas longtemps. Avant de répondre :

— Je crois que certaines femmes intelligentes sont aussi parfois capables de l'être !

Approbation muette de Victoria. Je poursuis :

— La différence, c'est que les femmes restent lucides et reconnaissent qu'elles ont agi ou agissent comme des andouilles. Pas les hommes.

Approbation souriante de Victoria. Je développe :

— Les hommes admettent moins facilement que nous leurs erreurs de jugement : même infidèles à leur femme, ils restent fidèles à leur choix.

Approbation enthousiaste de Victoria qui néanmoins, adepte comme tout le monde du « parle-moi de moi, y a que ça qui m'intéresse », balaie mes généralités et en revient à sa question précédente, en prenant soin de la personnaliser :

— Comment un homme comme Gilles a-t-il pu au départ se laisser piéger par une femme comme Paule ?

— Parce qu'à l'époque elle avait dix-neuf ans, des yeux de nonne, un corps de déesse, une mentalité de pute, une obstination de fourmi et qu'il ne l'a regardée qu'à travers des lunettes phalliques qui comme chacun sait sont munies de verres déformants !

— Bon ! D'accord ! N'empêche que très vite, avec ces mêmes lunettes, Gilles est allé regarder d'autres paysages, tout aussi attractifs, voire plus, mais qu'il n'y est jamais resté. Pourquoi selon toi ?

— Simplement parce que en bon homme d'affaires, il a établi chaque fois le bilan d'un éventuel changement de paysage : les avantages d'un côté ; les inconvénients de l'autre. Et que chaque fois, il a estimé qu'il y avait pour lui plus d'avantages à rester qu'à partir.

Victoria me regarde au comble de l'incompréhension.

— Mais quels avantages ?

Je réponds à Victoria de nouveau par une généralité :

— Il est toujours aléatoire de déménager et de s'adapter à de nouvelles habitudes, au risque de s'y sentir mal à l'aise, comme dans de nouvelles chaussures.

Là encore, la moue dubitative de Victoria m'invite à passer du général au particulier :

— La présence de Paule, avec ses flatteries et son admiration béate, était incontestablement flatteuse pour Gilles.

— A condition qu'elle ne l'ouvre pas trop ! Parce que moi, je te le dis, à notre première rencontre à Chamonix, ce n'était pas Bossuet !

— D'accord ! Paule ne sait pas très bien parler. En revanche, elle sait très bien se taire. C'est important.

— Et à part ça ?

— Elle est une très bonne maîtresse de maison. C'était appréciable pour Gilles qui, avant toi, aimait beaucoup recevoir ses amis.

— Où est le mérite ? Elle a deux employés qui se relaient d'un bout de l'année à l'autre.

— Elle sait les choisir. Les commander. Organiser leur roulement. Leur remplacement. Eplucher les comptes. Choisir les bons fournisseurs.

— C'est vraiment gratifiant !

— C'est pratique. Surtout pour Gilles qui est allergique à ce genre d'activité.

— Autre chose à l'actif de ta filleule ?

— Oui, le principal.

— Quoi ?

— Elle élève convenablement leurs enfants et elle lui fout une paix royale !

— Non ! Pas d'accord ! Primo, il s'occupe plus et mieux qu'elle de leurs mômes. Secundo, la liberté qu'elle lui laisse est relative. Pas totale. La preuve ? Ce soir il a suffi qu'elle l'appelle pour qu'il rapplique comme un toutou qu'on siffle.

— Tu exagères : elle ne l'a pas appelé.

— Tu as raison. Beaucoup plus malin : elle a chargé sa chère et tendre de le faire à sa place.

Je proteste :

— Je ne t'ai jamais dit que Florence Frémont était la « chère et tendre » de Paule.

— Non, mais tu m'as dit que le 15 août dernier, quand les Frémont t'ont invitée pour le double anniversaire de ta filleule, tu avais remarqué entre ces dames quelques frôlements équivoques.

— Des frôlements, ça ne prouve rien.

— Et l'envie subite de ta filleule de quitter le manoir pour un appartement à Deauville, comme les Frémont, ça ne prouve rien non plus ?

— Non, pas vraiment. Ça permet seulement d'avoir des soupçons.

— D'accord! Mais Gilles, lui, n'en a pas l'ombre d'un. Il a même la certitude du contraire.

Je marque un temps d'arrêt avant d'exprimer mon étonnement :

— Tu lui en as parlé?

— Evidemment! Je n'ai jamais été une fan du non-dit!

— Et alors?

— Gilles a rigolé comme s'il s'agissait d'une plaisanterie. Conformément aux propos que tu tenais tout à l'heure, il n'a pas renié son choix. Il est persuadé qu'il a choisi une femme follement amoureuse et foncièrement fidèle, il continuera à le croire, quoi que je lui dise et quoi qu'elle fasse. Pire, il s'offre le luxe de regretter qu'elle le soit : amoureuse et fidèle!

— Tu plaisantes?

— Mais non! Il est sincèrement navré que « sa pauvre Paule » soit victime — oui, victime! — de ce prurit vaginal... intermittent, certifié, ratifié par la si coopérative Florence Frémont de Lesbos! Il déplore qu'elle ait été privée si tôt de vrais paradis sexuels et ne suppose pas une seconde qu'elle puisse y parvenir par des accès de secours.

Je tente d'arrêter la colère menaçante de Victoria en lui rappelant ce que je juge être l'essentiel :

— Tu l'aimes et il t'aime.

— Ça ne suffit pas!

— Qu'est-ce que tu veux de plus?

La réponse, sans doute longuement ruminée, gicle d'un seul jet :

— Je veux qu'il la juge à sa juste non-valeur. Qu'elle lui soit complètement indifférente. Qu'il ne s'inquiète pas quand elle a un pet de travers. Qu'il ne me laisse pas tomber pour aller la rejoindre. Qu'il admette qu'elle ne reste avec lui que par intérêt. Qu'il comprenne que j'aime en lui l'homme qui m'aime, mais que je ne supporte pas l'homme qui la supporte, elle.

Les larmes prennent la relève des mots. Encore plus irrépressibles qu'eux, Victoria les laisse couler, couler...

Je tente une phrase apaisante. Elle la coupe.

Je tente un geste amical. Elle le repousse.

Je n'insiste pas. Je me souviens que Victoria préfère rire à plusieurs et pleurer seule.

Elle s'en va reniflante, se moquant d'elle-même, sur une grimace de clown triste.

J'ai encore cette dernière image devant les yeux, juste avant d'éteindre ma lumière pour m'endormir... et d'entendre la sonnerie de mon téléphone, insolite à cette heure.

Au bout du fil, une infirmière de l'hôpital Bichat m'informe que Mlle Victoria Vitto a été victime d'un chauffard avenue de la Grande-Armée.

Qu'elle a été transportée au service des urgences. Dans le coma !

Qu'on a trouvé dans son portefeuille une de mes cartes de visite avec la mention : « A prévenir en cas d'accident ».

Que ça lui a fait tout drôle « parce qu'elle est justement en train de lire un de mes livres ».

Qu'elle aurait été contente de me rencontrer mais que ce n'est pas la peine que je me dérange pour le moment.

Aussitôt après, je téléphone au domicile de Serge. Je tombe sur sa femme qui, en parfaite secrétaire, m'apprend que « monsieur Vollard est injoignable — même sur son portable — jusqu'à demain matin ».

Je téléphone alors au manoir. Là, je tombe sur le gardien qui, en serviteur compatissant, m'apprend que « monsieur le baron est au chevet de cette pauvre madame à l'hôpital de Lisieux ».

En romancière incurable, je complète :

— A cent vingt-cinq kilomètres d'une autre pauvre madame dans un autre hôpital !

# Chapitre 14

Samedi matin : appels successifs de Serge puis de Gilles. Je leur apprends l'accident de Victoria dans les mêmes termes.

Réaction de Serge : d'abord une montée chromatique de « merde ! merde ! » ; ensuite un égrenage de décisions : « Je file à l'hôpital. » « J'alerte mon réseau médical. » « Je vous tiens au courant. »

La réaction de Gilles se découpe en cinq épisodes : le premier, immédiat : « Oh ! mon Dieu ! Ce n'est pas vrai ! J'arrive ! »

Le deuxième (une heure plus tard) : « Le docteur Frémont vient de m'annoncer sa visite avec un collègue parisien chirurgien de son état. Je les attends et je pars. »

Le troisième (une heure plus tard) : « Ouf ! Les deux toubibs sont d'accord. Cette pauvre Paule a un kyste à l'ovaire droit qui s'est subitement enflammé et nécessite une intervention. On va la transporter en ambulance à l'Hôpital américain de Neuilly où l'ami de Florence va l'opérer... Je les rejoins là-bas et dès que... dès que je peux, je file à Bichat voir Victoria... Heureusement que ce n'est pas trop loin ! »

Le quatrième (une heure plus tard) : « Je sors de Bichat. J'ai vu Victoria : c'est affreux... affreux... Cette immobilité... Elle qui était tellement vivante... enfin, qui est... Excusez-moi... Je suis complètement déboussolé... Dans un sens, c'est bien que Paule soit malade, ça me force à penser à autre chose ! »

Le cinquième (une heure plus tard) : « Ça y est ! Paule a réintégré sa chambre. L'intervention s'est bien passée. Le chirurgien l'a recommandée à l'infirmière de garde. J'ai appelé les enfants. Ils m'ont attendu pour dîner. J'ai appelé aussi la réa de Bichat. Etat stationnaire... hélas... ou tant mieux ! Le premier de nous deux qui a des nouvelles en donne à l'autre. De toute façon, on se tient au courant. »

Evidemment, le protocole d'accords établi par Gilles et Victoria il y a presque deux mois, dans l'euphorie de leur réconciliation, n'a pas prévu cette situation à la fois dramatique et vaudevillesque : un mari partagé entre sa femme sur le billard et sa maîtresse dans le coma ; entre celle qui lui doit tant et celle qui lui a tant donné ; entre la mère de ses deux enfants et la génitrice de ses deux nouvelles raisons de vivre : l'Amour et les QM. Comment et où ce mari, menacé à droite et à gauche par des armes diamétralement opposées, va-t-il trouver une issue de secours ?

En tout cas, il a déjà trouvé un moyen de gérer son dualisme à distance : en plus de son portable usuel, il en a désormais deux autres. L'un, réservé à Paule et à ses enfants avec comme sonnerie d'appel : « Petit papa Noël ». L'autre, réservé à Victoria avec comme sonnerie d'appel : « Ne me quitte pas ».

C'est lui-même qui me l'apprend le lendemain de vive voix. Il est passé devant chez moi à tout hasard. Il avait déposé ses deux enfants à proximité de leurs écoles respectives. Pas devant ! Il se souvenait trop de la gêne qu'il éprouvait à leur âge, quand il voyait devant le lycée Janson-de-Sailly la limousine de son père et le chauffeur l'attendre à la sortie de ses cours. Après il était allé à l'hôpital Bichat avec des ballotins de chocolat pour les infirmières du service. Elles étaient tellement gentilles, tellement navrées de ne pouvoir lui annoncer une bonne nouvelle, tellement apaisantes et réconfortantes. Vraiment, les femmes sont des infirmières-nées. D'ailleurs, fillettes elles veulent toutes le devenir. Sa petite Agathe, comme les autres. Comme sa mère surtout. J'ose un étonnement :

— Ah bon ? Paule aime soigner ?

— Comment ? Vous ne vous souvenez pas ? Avec mon père, elle a été extraordinaire...

— Ah oui ! C'est juste... et d'une patience...

— C'est une véritable vocation chez elle. Elle y a renoncé à cause de notre mariage.

— Elle ne vous le reproche pas quand même ?

— Non, mais parfois c'est moi qui me le reproche. C'est pourquoi je suis bien content pour elle quand le docteur Frémont lui offre de garder de temps en temps un de ses malades pendant un après-midi ou quelquefois une nuit.

— Ah... je ne savais pas...

— Elle n'en parle à personne. Elle est très modeste, vous la connaissez : elle n'aime pas se vanter.

Au secours ! J'entends dans ma tête résonner la voix de Victoria : « Comment un homme intelligent peut-il être aussi con ? »

Au secours ! Je vois deux Gilles : l'un, en héros brechtien s'autocondamnant à battre sa coulpe sans répit et l'autre, en cocu de Feydeau épanoui dans son aveuglement satisfait. L'un m'irrite. L'autre m'amuse.

Au secours ! Je m'en veux d'avoir des pensées pareilles, dérisoires, à l'heure où Victoria... Victoria... J'en veux à Gilles de me parler de Paule alors que Victoria... Victoria...

Les cinq premières notes de la chanson de Brel « Ne me quitte pas » figent nos traits. Gilles saisit son portable d'une main et me tend l'autre. Je m'y accroche. Nous sommes agrippés l'un à l'autre par la force de notre espoir et de notre peur. La voix de Gilles se veut neutre, atone :

— Allô !

— Monsieur de La Rivandière ?

La voix de l'interlocutrice est assez forte pour que je puisse l'entendre.

— Bonjour. Je suis Mme Lesage, la chef du service réa de l'hôpital Bichat. Je n'étais pas là tout à l'heure quand vous êtes passé. Je tenais à vous remercier pour vos chocolats. Mais surtout à vous dire que même sans, vous serez toujours le bienvenu dans le service : Mlle Vitto a besoin de présence. Besoin de gens qui la connaissent, lui parlent, lui rappellent des souvenirs, pour essayer de réveiller sa mémoire.

— A part la mienne, elle n'a pas eu d'autres visites ?

— Si ! Un homme très... très bien élevé, très charmant. Son associé, je crois.

— Ah ! Serge Vollard ?

— Oui ! Il va revenir dans la journée.

— Moi aussi !

— Oh ! Tant mieux ! En attendant je vais aller lui brancher la télé.

— Vous croyez que les programmes peuvent parvenir jusqu'à son inconscient ?

— Ah oui ! Surtout les infos. Et surtout s'il y a une catastrophe.

— Vraiment ?

— Bien sûr ! En 2002, moi j'ai vu un monsieur sortir du coma grâce à l'écroulement des Twin Towers.

— Quelle horreur !

— Oui, mais quelle merveille pour le ressuscité !

Mme Lesage a profité du silence qui a suivi pour prendre congé de Gilles en lui rappelant qu'elle comptait vraiment sur sa coopération. Il ne demandait pas mieux, lui, que de coopérer. Moi aussi. Serge aussi. Mais trois, ce n'était pas suffisant.

— Il faudrait, dis-je, contacter ses proches.

— Victoria n'a pas de proches.

— Comment ça? Je sais qu'elle a perdu son père, l'ambassadeur, mais sa mère?

— Le bas-bleu frustré!

— Ça n'empêche pas les sentiments.

— Entre elle et Victoria, si : il y a toujours eu une totale incompatibilité de caractère entre elles deux.

— Victoria ne m'en a jamais parlé.

— Moi, une seule fois. Cet été, une nuit, j'ai souhaité follement avoir un enfant avec elle. Je me suis attendri sur la mère poule qu'elle serait... Elle a éclaté de rire en s'imaginant aussitôt comme la mère coq dont elle était la fille!

— Je ne comprends pas.

— Au lendemain de son veuvage, la mère de Victoria et de ses quatre frères et sœur est partie définitivement s'éclater dans un îlot du Pacifique avec une émule de Marguerite Yourcenar!

— Victoria en a souffert?

— Au contraire! Ça l'a réjouie au plus haut point... et soulagée.

— Elle la déteste?

— Pire! Elle lui est complètement indifférente.

— C'est rare, non?

— Selon elle, non! Elle nie les liens du sang. Elle estime que le cordon ombilical n'est pas obligatoirement relié à l'amour. Ni dans un sens. Ni dans un autre. Elle en veut pour preuve les sentiments quasi filiaux qu'elle vous porte et ceux quasi maternels qu'elle vous soupçonne de lui porter.

Comme tout le monde, j'aime bien qu'on m'aime. J'aime bien le savoir. Mais je n'aime pas qu'on me le dise en face ou l'apprendre comme à l'instant par personne interposée. Ça me gêne. Alors je cache ma pudeur... sans pudeur et en reviens abruptement aux proches de Victoria. D'abord à sa fameuse fratrie. Gilles en sait seulement que ses membres sont inaccessibles : son frère aîné est moine bouddhiste au Tibet. Les deux suivants évoluent dans le monde mouvant des affaires, l'un en Chine, l'autre en Afrique centrale. Quant à la seule sœur de Victoria, elle a épousé un chirurgien esthétique, brésilien et richissime avec lequel elle mène joyeuse vie... sans enfants, ayant contracté dans ses jeunes années une allergie définitive à la vie familiale. Comme Victoria.

La parentèle se révélant éloignée de Victoria, physiquement et affectivement, restaient ses amis. Gilles tranche dans le vif :

— Elle n'en a pas !

— Quoi ?

— Elle a des clientes avec lesquelles elle entretient des relations de sympathie... quand elle repère dans leur écriture un trait de caractère qui lui a plu ou qui l'a intriguée.

— Elle a des copines, quand même.

— Oui, mais pas des amies, des copines avec chacune une spécialité : une pour le sport ; une pour les fringues ; une pour l'informatique ; une pour le cinéma ; et surtout, surtout ses copartenaires — des deux sexes — de l'équipe des QM qui sont en fait ses véritables frères et sœurs.

— Alors ce sont peut-être eux qui pourraient l'aider — ou du moins essayer.

— Oui, vous avez raison.

Gilles jette un coup d'œil à sa montre et organise immédiatement son emploi du temps à haute voix :

— Je vais d'abord voir Paule à l'Hôpital américain. C'est la bonne heure : entre les soins qui sont terminés et le déjeuner qui n'est pas encore servi. Après, j'irai à l'AQM. Je trouverai sûrement quelqu'un qui connaît Victoria, soit un bénévole intermittent, soit un entraîneur à plein temps. L'idéal, évidemment, serait de lui amener Tanguy, vous en avez entendu parler ?

— Oui, celui qui sculpte de si jolies mains ?

— Entre autres. Je suis certain qu'il pourrait la sortir de là : il a des accointances avec le ciel, j'en suis sûr. Tenez !

Brusquement, comme s'il voulait justifier sa certitude, Gilles tire de la poche intérieure de son veston un objet qu'il me montre avec émotion. Il s'agit d'une petite croix dont le montant vertical et la traverse en bois sont formés l'un et l'autre par une torsade de mains miniatures.

Ce n'est peut-être pas un chef-d'œuvre de l'art sculptural. Mais c'est un chef-d'œuvre de patience et de ténacité.

Admirative, je retourne cette croix, unique en son genre. Sur le montant vertical est gravé : VICTORIA. Sur la traverse, les six lettres de GILLES se faufilent entre le C et le T de Victoria.

— Je voulais lui donner dimanche soir, rue Villaret-de...

La fin du nom — Joyeuse — reste coincé dans la gorge de Gilles. Sa bouche se crispe, ses yeux se ferment sur une vision pour lui insoutenable, sans doute celle de Victoria « absente ». Je pose sur son bras une main qui se voudrait apaisante. Il tressaille comme si je le sortais d'un cauchemar. Il rouvre ses paupières sur des yeux rougis. C'est touchant un homme qui pleure.

Et puis... patatras ! « Petit papa Noël » s'abat sur notre silence recueilli. Les mots de Gilles le fracassent :

— Oui, je sais, Paule, je suis en retard, mais je suis dans ma voiture... Il y a des embouteillages... Ne t'inquiète pas... J'arrive !

Gilles baisse la tête comme un enfant. Penaud. Honteux.

Je lui rends la petite croix fabriquée par Tanguy. Il l'enfourne dans sa poche. Il me dit : « Je suis désolé. » Je réponds · « Moi aussi. »

La romancière, elle, pense : « Ça, ç'aurait été un coup à réveiller Victoria ! »

# Chapitre 15

Le lendemain à 11 heures, comme convenu, Gilles vient me chercher dans un véhicule de l'AQM adapté au transport des handicapés. Tanguy y est déjà installé. On m'a parlé de lui. On lui a parlé de moi. Nous sommes sincèrement heureux de nous connaître, autrement que par personne interposée. Encore que...

— Evidemment, dis-je, j'aurais préféré que cela soit dans d'autres circonstances.

— Elles auraient pu être pires, me répond-il avec un sourire lumineux. C'est toujours à ça qu'il faut penser : au pire.

Gilles a tout organisé pour que nous puissions monter au service de réanimation. Je suis happée par Mme Lesage. Avertie de ma visite, elle m'a apporté deux de mes livres et m'entraîne dans le bureau des infirmières pour que je les lui dédicace. Je m'installe. Je cherche une formule personnalisée. Elle est tellement gentille ! Une formule qui ne la déçoive pas. Elle a tellement aimé mes bouquins ! Ça m'ennuierait qu'elle pense que c'est un nègre qui les écrit ! Comment puis-je avoir un souci aussi mesquin dans une circonstance pareille, dans un lieu où...

Gilles s'encadre dans la porte. Il est flanqué d'une certaine Claudine — sa fan à lui. Il me la présente. Me recommande à ses bons soins. M'apprend que l'état de Victoria reste stationnaire :

— Je ne sais plus que faire, m'avoue-t-il, je ne sais plus quoi lui dire. Je lui ai parlé de nos dernières vacances. De la Suisse. Je lui ai même raconté une histoire de là-bas, avec l'accent vaudois. D'habitude ça la fait hurler de rire. Là, rien !

Claudine, renchérit :

— Pareil quand vous lui avez parlé de votre séjour à New York. Pourtant vous chantiez vachement bien !

— Vous avez chanté quelque chose à Victoria ?

— Oui, une chanson de *Chicago*, vous savez, une comédie musicale américaine.

— Oui, je sais, j'ai vu le film.

— Là-bas, elle avait adoré, crié sa joie. J'espérais que la musique allait peut-être déclencher quelque chose chez elle... mais non !

— Pourtant, insiste Claudine, vous l'avez vraiment bien chantée, la chanson ! Moi, j'étais chamboulée !

— J'y ai mis tout mon cœur, reconnaît Gilles.

— Ça sera peut-être pour la prochaine fois. Il faut être patient : trois jours, c'est rien ! Moi, ici, j'ai vu un coma qui a duré trois mois !

— Trois mois ! répète Gilles, accablé.

— Et encore ! Il y a la chef de service, Mme Lesage, qui a connu bien pire !

Le pire... contrairement à ce que professe Tanguy, Gilles ne veut pas l'envisager. Il repousse le mot, physiquement, avec ses mains. Ce mouvement laisse apparaître sa montre. En une seconde, transformiste émotionnel à la manière de Victoria, l'amoureux anxieux, éploré, se change en homme d'action soucieux de respecter l'emploi du temps qu'il a prévu :

— Il faut que je parte immédiatement pour l'Hôpital américain.

Agacée par son changement à vue, je lui envoie quelques gouttes d'acide :

— Vous allez chercher Paule dans le monospace de l'AQM ?

— Non. J'ai commandé un taxi. Je vais reconduire Paule jusqu'à notre appartement... où sa mère l'attend.

— Sa mère est là ?

— Oui. Je l'ai fait venir pour être plus libre... plus disponible... au cas où...

A nouveau le masque de l'amant éploré recouvre le visage du mari attentionné.

A nouveau agacée par son alternance, j'en reviens, fonctionnelle, au planning qu'il a concocté :

— Vous comptez être de retour ici vers quelle heure ?

— Le plus tôt possible. Mais si par hasard j'étais retardé, vous pourriez peut-être...

— Moi, c'est sans importance, mais Tanguy...

— Ne vous en inquiétez pas. Claudine veillera sur lui. Il a horreur qu'on le couve... comme vous, je crois.

J'acquiesce de la tête.

— Comme Victoria aussi, ajoute Gilles en direction de la salle de réa avec une fois de plus le regard brusquement alourdi de souvenirs.

Heureusement, Claudine a compris que M. de La Rivandière, lui, ne déteste pas être couvé. Alors, elle le prend sous son aile et le pousse vers la sortie en lui susurrant d'instinct le bon vieux chant des sirènes d'autrefois : « Courage ! Vous êtes un homme ! On a besoin de vous ! »

Phrase clé qui a ouvert plus d'un cœur, plus d'un registre de mariage, plus d'un compte en banque ! Pauvre petit homme riche, tu te vantes de n'avoir besoin de personne. Erreur ! Tu as besoin de quelqu'un qui ait besoin de toi. C'est ça le point faible de Victoria : elle n'a pas besoin de Gilles. Pas assez. Pas fondamentalement.

Je suis sûre que si elle sortait de l'hôpital... un peu affaiblie, financièrement et moralement, ce qu'elle perdrait en indépendance, elle le regagnerait avec Gilles en attachement. Je suis sûre aussi que si je lui disais une chose pareille, elle m'enverrait au diable, crierait à la trahison... Elle crierait ? Alors, pourquoi ne pas aller le lui dire tout de suite ? Pourquoi ne pas essayer aussi ce déclencheur-là ? Je me dirige vers la salle de réa. Je m'arrête derrière la cloison en verre. Je vois Victoria inerte, reliée à la vie par des tuyaux... et par la main de Tanguy qui pèse sur la sienne à intervalles réguliers, comme s'il voulait l'imprégner de quelque chose. C'est le cas. Je le comprends en le voyant soudain soulever sa main, prendre sur celle de Victoria la petite croix qu'il a sculptée, la porter à ses lèvres avec une ferveur de missionnaire, la reposer à sa place initiale, puis recommencer ses pressions. Sur le même rythme, avec la même force : celle de son amour, muet et retentissant. Je suis fascinée. Si loin de l'univers hospitalier que je sursaute en entendant la voix de Claudine :

— Vous savez que vous pouvez entrer. Ce n'est pas gênant d'être plusieurs.

— Moi, ça me gênerait.

— Vous n'êtes pas curieuse ?

— Si ! Très ! Mais pas indiscrète.

— Vous voulez que je dise au jeune homme de vous laisser la place ?

— Non, surtout pas ! Je vais retourner dans le bureau, si je ne dérange pas.

— Non, pas du tout ! Si vous avez faim vous pouvez même ouvrir le frigidaire : M. de La Rivandière nous a encore gâtées...

Pas question ! Je serais incapable d'avaler une bouchée. Malheureusement je suis tout aussi incapable de dédicacer les deux livres de Mme Lesage : j'ai la tête aussi coincée que l'estomac.

Je regagne le bureau des infirmières pour y prendre mes deux livres et descends au bistrot du coin avec l'espoir d'y trouver l'inspiration. Mais à peine devant mon quart d'eau minérale, je constate que ma tête est restée là-haut, dans la salle de réa. Je me souviens de tout ce que m'a raconté Victoria sur Tanguy : son accident tragique et romantique à la fois. Je me souviens même d'avoir écrit à son sujet dans mon cahier de notes, sous la rubrique jamais close « déformation professionnelle » d'abord, l'histoire réelle : « Un amateur de deltaplane se fracasse contre une montagne, sous les yeux d'une randonneuse. » Puis, juste en dessous, l'histoire romancée : « Un garçon, surnommé " l'ange blond ", perd ses jambes à cause de ses ailes et s'envole vers l'amour en fauteuil roulant ! »

Victoria savait que Tanguy devait son salut — lui, disait sa « deuxième naissance » — à une femme. Mais laquelle ? La randonneuse ? Une ancienne amie ? Une kiné de l'hôpital de Garches ? Ou d'un des nombreux centres de rééducation où il est passé ? A toutes les questions de Victoria, légères, moqueuses ou sérieuses, Tanguy a toujours répondu, après Arvers : « Mon âme a son secret, ma vie a son mystère. » De guerre lasse, Victoria a un jour décidé que c'était « la randonneuse ». Tanguy s'est contenté d'approuver gaiement cette appellation : « Banco pour la randonneuse ! »

J'ai tout de suite adopté ce nom : sorti de son contexte sportif, la « randonneuse » me renvoie l'image d'une fille silencieuse, marchant vers son but d'un pas lent et résolu. Cette fille me plaît bien. Et ce qui me plairait encore plus, c'est que ce soit d'elle que Tanguy en ce moment parle à Victoria et que la « randonneuse », après l'avoir sauvé, lui, la sauve, elle. Ça y

111

est ! Voilà la romancière elle aussi en marche ! Pas pour longtemps : Gilles vient de descendre d'un taxi. Je l'appelle. Il me rejoint en courant et me demande, angoissé :

— Qu'est-ce qui se passe ?

— Rien ! Ni dans un sens, ni dans un autre.

— Tanguy est toujours près d'elle ?

— Il ne la lâche pas une seconde.

— Il n'a pas déjeuné ?

— Non, et vous ?

— Ben... moi non plus et j'avoue que...

— Commandez deux sandwichs. On lui en montera un.

— Oh non ! Un seul ! Moi je peux attendre.

— Pourquoi ?

— Je sais que c'est stupide, mais ça me gêne de manger pendant que là-haut ma pauvre Victoria...

Je coupe sec son évocation « larmifère ».

— Pardon, Gilles, d'être brutale, mais ça ne vous gêne pas de vivre avec Paule pendant que Victoria survit ?

— Si, bien sûr...

Alors... je crie au garçon qui passe :

— Deux jambon-beurre et deux Coca light !

Gilles, surpris par la vivacité de ma réaction, sort aussitôt de sa délectation morose :

— Bien sûr que je suis gêné. Et encore... j'ai la chance que Paule me simplifie la vie au maximum. D'abord en étant une malade vraiment facile...

Je corrige :

— Elle n'est plus malade. Elle est convalescente.

— N'empêche qu'elle est très fatiguée et que le docteur Frémont lui a interdit expressément le moindre effort. C'est pourquoi d'ailleurs j'ai appelé ma belle-mère pour veiller sur elle.

— Marguerite ? Elle habite chez vous ?

— Non, dans son appartement. Juste en face dans la cour.

— Mais... depuis quand a-t-elle cet appartement ?

— Depuis la naissance d'Arnaud. Je l'ai mis à sa disposition quand elle est venue seconder Paule. Il y a donc dix-sept ans.

— C'est drôle ! Paule ne me l'a jamais dit.

— Oh, c'est sans intérêt : une espèce de grand débarras où mon père entassait les archives de la famille. Mais je dois dire que Paule l'a arrangé avec beaucoup de goût. C'est devenu une vraie bonbonnière.

Comment ne vient-il pas à l'idée de Gilles que c'est devenu pour Paule une vraie garçonnière ? Ou à plus justement parler une « féminière » ou une « cocufière », néologismes qui devraient s'imposer en notre époque de parité. Est-ce parce qu'il s'en fout ou parce qu'il n'envisage pas, une seconde, que Paule puisse le tromper ?

Bien sûr, je garde ces questions pour moi et je lui en pose une qui est hélas ! plus d'actualité :

— Paule est au courant de l'accident de Victoria ?

— Oui... elle m'a vu tellement bouleversé qu'elle s'est inquiétée et... j'ai été obligé de lui expliquer.

— Et comment a-t-elle réagi ?

— Comme d'habitude ! Avec un maximum de compréhension.

— Elle n'est pas jalouse du tout ?

— En l'occurrence non. Mais elle l'a été, la pauvre ! Notamment quand elle m'a senti prêt à la quitter.

— Avant que vous ne l'emmeniez en croisière, peut-être ?

— Euh... oui... c'est ça. Notre départ l'a rassurée. Depuis, elle s'est résignée à la situation. Elle me dit qu'elle m'aime assez pour préférer me partager que de me perdre.

Faute de pouvoir sortir mon carnet de notes, j'essaye de mémoriser la phrase avec la ferme intention de l'utiliser dans mon prochain roman. Mais voilà que d'autres suivent et mobilisent mon attention :

— C'est Paule qui a su comprendre et admettre que Victoria était pour notre couple un mal nécessaire et qui me l'a en quelque sorte redonnée... non sans mal... vous devez le savoir par Victoria.

— Vaguement... Elle m'a parlé d'un rendez-vous avec votre fils qui avait été déterminant.

— Oui, c'est ça ! Mais ce rendez-vous, c'est une idée de Paule.

— Incroyable !

— Mais vrai ! Vous imaginez à quel point ça peut être dur pour une mère de convaincre son fils d'aller chercher la maîtresse de son père et de la lui ramener !

J'acquiesce. Il insiste :

— Vous imaginez aussi à quel point ça a pu être difficile de convaincre Arnaud d'entreprendre cette démarche à laquelle il était totalement opposé au départ.

Ah oui ! J'imagine. J'avais même imaginé avant : le jour où je conduisais Victoria à ses retrouvailles avec Gilles alors qu'elle imaginait, elle, qu'il en était le merveilleux initiateur.

Plein de reconnaissance pour son épouse si altruiste, Gilles estime qu'il a vraiment eu de la chance de la rencontrer et pense presque à regret que...

— Ce n'est même pas une chance de cocu !

Le garçon qui apporte les deux sandwichs que j'ai commandés m'évite d'exprimer un doute. Hélas ! Il ne m'évite pas d'entendre les belles certitudes de Gilles sur la fidélité de Paule, sur sa patience et sa sensibilité :

— Songez, me dit-il pendant que nous regagnons l'hôpital, songez que tout à l'heure, alors que je venais à peine de la raccompagner, c'est elle qui m'a pressé de rejoindre Victoria en me disant : « Aujourd'hui, elle a plus besoin de toi que moi ! » Et elle s'est vite détournée, la pauvre ! Elle était au bord des larmes.

Lui aussi ! Trois minutes plus tard, cet homme ému par les qualités — si mal récompensées — de sa femme éclate de joie en apprenant que sa maîtresse est sortie du coma ! Sur les recommandations de Mme Lesage, nous entrons dans la salle de réanimation en nous efforçant au calme. Gilles est tétanisé par le timide, très timide sourire de Victoria. Il s'avance en silence vers elle. S'agenouille à la hauteur de sa poitrine. Il ne voit qu'elle. Il ne voit pas Tanguy prendre vivement la petite croix en bois sur la main de Victoria et reculer son fauteuil roulant.

Il ne voit pas Tanguy me rejoindre de l'autre côté du lit.

Il ne voit pas qu'en manœuvrant son fauteuil roulant, Tanguy laisse échapper la petite croix.

Il ne me voit pas la ramasser.

Il ne me voit pas la regarder avec attendrissement.

Il ne me voit pas la retourner.

Il ne me voit pas ma surprise en découvrant sur la traverse non pas son prénom à lui, Gilles, mais celui de Tanguy.

Il ne me voit pas, gênée, rendre son secret à Tanguy.

Il ne voit pas dans le sourire et le geste fataliste de Tanguy s'inscrire l'essentiel : « Elle vit ! »

# Chapitre 16

Nous sommes quatre dans un restaurant, grand par la qualité, petit par la taille. Jacques, le patron, a quitté sa cuisine pour venir nous embrasser à « la 7 », la table du fond : celle des amis. Gilles l'a aidé à ouvrir son premier bistrot à Colombes. Victoria a été le clown préféré de son petit garçon, hospitalisé à long terme. Serge lui ramène régulièrement de bons clients. Moi, je partage avec lui un goût prononcé pour les fruits de mer, que je tiens de mon père, et une passion pour le football... que je ne tiens pas de ma mère !

Nous avons dîné superbement. A l'instant du dessert, nous hésitons entre gourmandise et raison. Notre dilemme est résolu par l'arrivée sur notre table d'un gâteau entouré de un, deux, trois, quatre... dix-huit bougies ! Nous sommes tous étonnés. Sauf Gilles, si visiblement heureux de notre surprise que nous ne pouvons douter qu'il en soit l'instigateur. Victoria est la première à l'interroger :

— Pourquoi dix-huit ?

— Parce que tu as dix-huit jours. C'est l'anniversaire de ta re-naissance, de ta re-venue au monde.

Victoria pousse un cri, non pas de nouveau-née, mais d'amoureuse comblée, à la limite du débordement. Elle se rue sur Gilles, investit son cou, sa bouche, ses cheveux, ses oreilles. Et lui ? Pareil ! Avec en plus quelques soupirs de bonheur, d'impatience et un chapelet de « c'est pas vrai » émerveillés ! Et nous, Serge et moi ? Nous sommes heureux, attendris jusqu'au moment où nous nous sentons importuns. Alors, Serge tape sur son verre avec le manche de son couteau et comme un professeur (d'autrefois !) rappelle à l'ordre les deux dissipés :

— Allons, les enfants, on se calme ! On ne se sépare pas, mais on se dédouble. Oui, c'est ça, comme ça. N'oubliez pas ma petite Victoria que vous êtes convalescente et qu'on vous a vivement recommandé de ne pas vous fatiguer.

A la seconde Victoria entre dans le jeu. Elle se met dans la peau d'une élève mal embouchée, sortie d'une BD ou d'un dessin animé :

— Ah ! la la ! C'était pas la peine que j'me donne tant d'mal pour redescendre sur la terre ! C'était plus rigolo là-haut ! Tous les gens étaient des bébés !

Phrase déclic : son œil s'allume. Son doigt se pointe successivement sur Serge, sur moi, sur Gilles. Et elle se lance dans une improvisation délirante :

— Oui, confirme-t-elle, tous en couches-culottes, les chasseurs de têtes, les romancières, les aristos de l'immobilier, vous étiez gazouillants et vous vous battiez pour chanter mes louanges !

Tour à tour, Victoria nous imite, nous caricature, nous « guignolise », puis tout à coup s'arrête net, tend l'oreille, s'empare de sa cuillère à dessert et l'utilisant comme un portable se met à parler en direction du manche :

— Allô ? Oui, c'est moi ! Qui est à l'appareil ? Ah c'est toi ! Ça va bien, merci, mais on t'a beaucoup regretté... Non, on ne t'en veut pas ! Ne crains rien, je te raconterai tout. Merci d'avoir appelé. C'est adorable. Au revoir.

117

Victoria fait semblant de couper sa fausse communication et nous en rapporte le faux contenu, le plus sincèrement du monde :

— C'était Tanguy ! Il dit que je suis fatiguée. Que je dois vite manger une petite part de gâteau. Vite prendre les bougies. En garder une pour lui. Vous inviter à lever un dernier verre en son honneur. Enfin, aller dormir et au besoin rêver.

En tant que spectatrice, je suis épatée : la vitesse à laquelle Victoria a basculé de la farce dans le sérieux est remarquable. En tant qu'amie, je ne suis pas déçue non plus : j'aime bien le moyen qu'elle a employé pour associer Tanguy à notre soirée et le confirmer devant nous dans son rôle d'ange gardien.

Conformément à son prétendu souhait transmis par Victoria, un verre dans une main, une petite bougie dans l'autre, nous avons une pensée affectueuse et reconnaissante pour celui que notre « revenante » a baptisé « le visiteur de l'inconscient ».

Et puis, nous nous séparons. Victoria s'engouffre dans la voiture de Gilles, manifestement fatiguée mais heureuse. Gilles la rejoint, manifestement en pleine forme, mais très heureux... quand même ! Serge qui est venu me chercher chez moi avant le dîner avec la courtoisie distante d'un chauffeur de maître me raccompagne avec l'allégresse complice d'un copain de régiment. Il démarre en même temps que son moteur :

— Excusez-moi pour tout à l'heure, j'étais un peu coincé.

— Ah non ! Pas un peu... beaucoup !

— Vous m'en voulez ?

— Pas du tout... à condition que vous m'expliquiez pourquoi.

— J'y compte bien.

— Alors ?

— Je craignais ce dîner.

— Pourquoi ?

— Gilles est un peu perturbé en ce moment.

— A cause de Tanguy ?

— Tanguy ? Pourquoi Tanguy ?

— Je ne sais pas... Il pourrait être jaloux de l'amitié que Victoria lui porte.

Mon imagination amuse Serge. Néanmoins il me conseille de la mettre au service de la collection Harlequin. Je lui promets d'y penser, mais en attendant, je voudrais bien savoir...

— Pourquoi Gilles est-il perturbé en ce moment ?

— Heureusement, soupire Serge, que Victoria m'a prévenu que vous étiez curieuse...

— Pas tellement moi ! Surtout ma jum', celle qui m'aide à écrire mes romans !

— Oui, je sais : je suis un chasseur de têtes et vous, vous êtes deux gratteuses de masques !

— Aussi tenaces que vous !

— Eh bien, on n'est pas couchés !

— Ça dépend de vous : il suffit que vous me disiez pourquoi Gilles est perturbé en ce moment...

Pour être franche, ça ne me passionne pas vraiment de le savoir et en l'occurrence mon entêtement est plutôt un jeu. Mais voilà que Serge, lui, est très sérieux et très embêté :

— Ecoutez, soyez gentille, n'insistez pas. Je ne peux pas vous le dire.

— Mais...

— Inutile de me jurer sur votre propre tête que vous ne le répéterez à personne, je ne vous le dirai pas.

— Mais... Victoria est au courant ?

— Non, justement pas !

— Ah... il s'agit donc d'une chose qu'elle doit ignorer ?

Serge tape sur son volant, faute de pouvoir, je le sens, taper sur ma tête.

— Vous êtes pire encore que ce que j'imaginais !

Je salue comme si c'était un compliment et je repars à l'attaque, cette fois avec un véritable intérêt :

— Je comprends très bien que pour une raison ou pour une autre, sûrement grave, sûrement conséquente, vous ne puissiez me révéler pourquoi Gilles est perturbé en ce moment, mais si moi je trouve la réponse...

— Impossible !

— On ne sait jamais. Ma jum' et moi, on passe notre temps à inventer des événements, des situations, et parfois il nous est arrivé d'inventer du vraiment vécu.

— Oui, ça m'est arrivé à moi aussi.

— Tant mieux, comme ça, si je trouve, vous ne serez pas étonné.

— Si ! Dans ce cas précis, je le serai quand même, c'est tellement...

— Oui, mais ma jum' et moi, nous aussi, on est tellement...

Il hoche la tête, souriant de mon entêtement qu'à présent, lui, prend comme un jeu. Comme si j'étais à mon bureau en train de travailler, je me pose le problème à résoudre : pour quelle raison — dans laquelle est impliquée Victoria — Gilles peut-il être perturbé ?

Je propose pour commencer plusieurs réponses, simples, plausibles, qui n'ont droit qu'à un haussement d'épaules de Serge.

J'en viens à des réponses improbables qui obtiennent un ricanement plutôt indulgent.

Ma jum' se pique au jeu et me souffle des réponses insensées, farfelues, qui ont droit à une fossette d'honneur.

Je vais devoir déclarer forfait : Serge vient d'arrêter sa voiture devant chez moi. Il pivote sur son siège et s'adosse à la portière, les bras croisés. Il attend avec ironie ma nouvelle élucubration. Je la lui lance, sans illusion, comme un joueur lance sa dernière plaque sur un tapis vert :

— Paule n'a pas été opérée d'un kyste à l'ovaire.

Un quart de seconde, la fossette s'efface un peu, l'œil se fixe, les lèvres frémissent, puis l'ironie réintègre en totalité le visage de Serge ainsi que sa voix :

— Ah bon ? Et elle n'est pas allée à l'Hôpital américain, peut-être ?

— Si ! Pour une fausse couche !

Serge est sidéré. Moi aussi. Il ne cherche même pas à le dissimuler. Moi, si !

— Comment avez-vous eu cette idée ?

— Ce n'est pas moi ! C'est encore la jum'.

— Décidément, elle est en forme !

— Je crois que ma filleule l'inspire.

— Au point de deviner de qui elle était enceinte ?

— Non ! Ça, franchement non. Nous n'avons à ce sujet aucune idée, ni elle, ni moi.

— Ni moi non plus.

Réponse laconique qui a sans doute pour but de décourager ma curiosité et qui obtient bien entendu le résultat contraire :

— Mais qu'est-ce qu'elle a dit à Gilles ?

— Qu'elle était enceinte de lui.

— Ils avaient donc refait l'amour ensemble ?

— Une fois..., m'a juré Gilles en s'en voulant à mort d'être tombé dans le guet-apens que Paule lui avait tendu.

— Quel guet-apens ?

— Eh bien... demandez-le à votre jumelle, elle vous renseignera peut-être, elle. En tout cas, moi, sûrement pas !

## Le cœur à deux places

Après m'être assurée que ma filleule n'avait pas rejoué à son mari le coup du revolver, je cherche dans mes souvenirs de lecture des exemples de la malignité féminine dans le domaine érotico-amoureux. Je récolte successivement deux éclats de rire, deux exclamations faussement horrifiées avant d'avoir droit à un sifflement à nouveau stupéfait. Il m'a fallu pour cela repêcher dans ma mémoire une histoire libertine du XVIIIe siècle. Celle d'une dame en train de folâtrer avec une de ses belles amies et qui entend soudain au milieu de ses ébats son mari rentrer beaucoup plus tôt que prévu. Avec une présence d'esprit remarquable, elle se lève d'un bond, recommande à sa partenaire de ne pas bouger, enfile un déshabillé suggestif, va au-devant de son mari, l'arrête à quelques pas de la chambre de Lesbos et le convainc qu'elle vient de conditionner une impétueuse hermaphrodite à seule fin de la lui offrir. Le mari, éberlué par ce cadeau inattendu, s'y montre au premier regard très sensible. Puis, quand il entend son épouse d'abord prude encourager ses ébats, les commenter, les orchestrer en termes de plus en plus salaces, il perd ses esprits ; quand elle y participe avec une science consommée de la chose, elle qui n'a jamais accompli son devoir conjugal que du bout des lèvres — expression, dans le contexte, impropre, mais explicite ; quand il la voit ou plutôt qu'il la sent (parce qu'il y a déjà belle lurette qu'il n'y voit rien), donc quand il la sent partie prenante dans cette affaire et — apothéose ! — partie prise, voluptueusement prise elle qui expédiait l'extase encore plus vite que les mouches qu'elle comptait au plafond... il oublie tout et bien entendu, en premier lieu, qu'il est cocu ! Par une femme, soit ! Et les hommes du XVIIIe siècle comme ceux de maintenant ont tendance à considérer que c'est moins grave que de l'être par un de leurs congénères. Alors que les femmes parviennent à pardonner l'époux qui les a trompées avec une autre femme, mais le rejettent définitivement s'il les a trompées avec un homme. Ah! on est encore loin de la parité! Et moi, tout près de la vérité en disant à Serge :

— Paule sur le point d'être surprise en galante compagnie féminine par Gilles a réussi d'abord à l'entraîner dans ses jeux aphrodisiaques; ensuite à lui faire croire qu'elle ne les avait initiés qu'à son unique intention.

Je vois à la tête de Serge que ma fiction a de nouveau rejoint la réalité.

— Mes compliments! dit-il.

— C'est Paule qui serait à féliciter, d'abord pour ce joli tour de passe-passe; ensuite pour avoir réussi à persuader Gilles qu'il était responsable de ses regrettables prolongements.

— Vous n'êtes pas sûre qu'il en est responsable?

— Pas plus que vous. Il est possible que se sachant ou se craignant enceinte de quelqu'un d'autre, elle ait organisé cette parade à tout hasard.

— Mais qui, selon vous, pourrait être le vrai père?

— Ça, je n'en ai pas la moindre idée. En vérité, je ne connais pas bien la vie de Paule.

— Mais chère amie... on ne connaît bien la vie de personne.

Serge vient de plomber cette banalité d'un poids de sous-entendus tels que je l'approuve avec circonspection :

— Oui, bien sûr.

— Sans compter, poursuit Serge, que n'importe quelle vie peut être bousculée n'importe quand, n'importe où, par n'importe quoi... ou n'importe qui.

Je sens Serge porteur d'une confidence dont à la fois il craint et souhaite se libérer. J'essaye d'activer le processus.

— Où voulez-vous en venir au juste ?

Accouchement dans un éclat de rire :

— Nulle part ! Je veux simplement vous empêcher de dormir !

# Chapitre 17

Non ! Ça ne m'a pas empêchée de dormir ! Mais enfin, ça a quand même retardé quelque peu la venue de mon sommeil. J'étais sûre que Serge ne m'avait pas monté un canular ; sûre que quelque chose... ou quelqu'un était intervenu dans sa vie. Mais s'agissait-il d'un accident de parcours ? Ou d'un bouleversement ? Positif ? Négatif ? Mes hypothèses ont fini par céder devant cette certitude apaisante : je connais la seule personne pour qui Serge n'a pas de secret. Donc, demain...

— Allô, Victoria ? Je te dérange ?

— Non, mais je ne suis pas très en forme.

— Le dîner d'hier soir t'a fatiguée ?

— Plutôt l'après-dîner.

— Oh ! ce n'est pas bien ! Vous n'êtes pas raisonnables, Gilles et toi.

— Ce n'est pas ce que tu crois : on s'est chamaillés.

— A propos de Paule ?

— Oui et non. Elle n'était pas le sujet de notre conversation, mais comme souvent, elle y était présente, en filigrane.

— Quel était le vrai sujet ?

— Serge !

Merveille ! Je n'ai pas besoin de poser la moindre question pour que Victoria me raconte, comme une simple anecdote, le problème conjugal de celui qui n'en a jamais eu... et qui se vantait d'avoir trouvé la formule idéale : être marié et vivre en célibataire. Sa femme, Nadine, jusque-là adepte convaincue de cette formule qui lui permettait de concilier sa passion du bridge et son goût de l'indépendance, Nadine, la complice tout-terrain, veut divorcer. Tout simplement parce qu'elle est tombée amoureuse ! Doublement amoureuse : d'un bébé de six mois et de son père, récent quinquagénaire, plaqués tous les deux comme une paire de chaussettes dépareillées par une hôtesse de l'air qui a découvert un peu tard que les horaires des biberons ne correspondaient pas à ceux d'Air France ! Alors que Nadine, elle, a découvert qu'un homme fragile comme un enfant et un enfant exigeant comme un homme peuvent, avec un peu d'organisation et beaucoup d'amour, cohabiter avec un trois sans atout ou deux de chute. Bref, Nadine veut divorcer. Et Serge refuse. Il dit que leur association leur donne toute satisfaction depuis vingt-quatre ans et qu'ils n'ont donc aucune raison de la dissoudre ; qu'on ne change pas une équipe qui gagne ; qu'on sait ce qu'on perd, mais qu'on ne sait jamais ce qu'on trouve.

Malgré toute son amitié pour Serge, Victoria n'est pas d'accord :

— Il charrie quand même ! Jamais je ne l'aurais cru capable d'un tel égoïsme ! D'autant moins qu'avec moi, il vient de se montrer tellement attentionné, tellement généreux.

— Pendant que tu étais à l'hôpital ?

— Oui, il s'est occupé de tout : la police, l'assurance, l'expertise des dégâts sur mon ancienne moto et le prêt d'une nouvelle par un de ses copains, en attendant que j'en commande une autre... sans parler de ses visites, très tôt le matin et très tard le soir, alors que

126

j'étais dans le coma et que je ne m'en rendais même pas compte ; sans parler non plus de tous les messages d'encouragement dont il chargeait Mme Lesage pour moi.

— En effet, j'ignorais tout ça.

— Je m'en doute, moi-même je ne l'ai découvert qu'au fur et à mesure, quand je suis rentrée chez moi et que j'ai voulu régler tous les problèmes... qu'il avait déjà réglés.

— Il est peut-être amoureux de toi ?

— Eh ! Oh ! Ça ne va pas la mémoire ! Tu as oublié que...

— Non ! Je n'ai rien oublié. Mais... il pourrait être victime d'un effet retard.

— Non ! Sur ce point je suis formelle : on est programmés l'un et l'autre pour l'amitié. Pas pour l'amour.

— En somme, si tu l'avais connu avant, tu aurais pu jouer le rôle de sa femme.

— Tout à fait. C'est pourquoi je peux te dire que moi, à la place de Nadine, épouse potiche depuis toujours et amoureuse d'un autre depuis peu, je n'admettrais pas que mon époux copain refuse de m'accorder le divorce.

— Serge cherche peut-être à la protéger contre les risques d'un emballement passager pour la couette conjugale et le couffin maternel.

— Bravo ! C'est l'argument que Serge m'a sorti pour défendre sa position et que Gilles s'est empressé d'approuver hier soir !

— C'est un argument valable.

— Pour toi, parce que tu n'es pas concernée, donc tu es de bonne foi. Mais pour eux c'est un argument uniquement dicté par l'intérêt : ils s'en fichent complètement, que le départ de leurs femmes se révèle pour elles catastrophique. Je dirais même, au contraire, ça ne leur déplaît pas. Mais ce qui les ennuie, c'est d'avoir à changer leurs petites habitudes et surtout de renoncer à leur petite vie si bien organisée entre... disons pour simplifier : bobonne et Messaline.

— Et... disons pour personnaliser, s'agissant de Serge : entre Nadine et ses bimbos. Et s'agissant de Gilles : entre Paule et toi.

— Voilà !

Voilà... Voilà...

Voilà pourquoi Victoria a mal dormi. Voilà pourquoi ce matin le clown est grognon. Je tente une déviation vers Trouville :

— Tu vas passer le week-end avec Gilles au Point d'Orgue ?

— Oui, grâce à cette chère Paule !

— Comment ça ?

— Eh bien, normalement, selon notre protocole d'accords, ce week-end devait être celui de madame et des enfants, mais comme les enfants sont en vadrouille, madame a généreusement laissé monsieur à sa « suppléante », compte tenu que cette pauvre « suppléante » vient d'être tellement éprouvée ! Et que le gentil monsieur était impatient de lui montrer tout ce qu'il a fait pendant son absence pour le hope-show du 14 Juillet.

Victoria continue à être râpeuse comme de la toile émeri. Je lui prescris le baume du docteur Tanguy, souverain pour soulager les prurits de l'âme. Elle ne veut pas entendre parler d'émollient. Elle préfère se gratter vigoureusement, là où Gilles hier soir l'a piquée comme un moustique :

— Il aurait voulu que je sois reconnaissante à madame de me prêter monsieur et que je pense, comme lui, que madame est vraiment une bonne fille !

Laborieusement, je reconnais que...

— C'était maladroit. Mais je suis certaine qu'il n'a pas voulu t'être désagréable.

— Non ! bien sûr ! Il a seulement voulu enrichir ma rubrique : « Comment un homme intelligent peut-il être aussi con ? »

Je tente une nouvelle déviation :

— Tu devrais poser la question à Serge pendant le week-end.

— Il ne vient pas à Trouville cette semaine.

— Ah bon ? C'est rare, non ?

— Oui... Il m'a appris ça hier soir en arrivant au restaurant pendant que tu parlais foot avec le patron.

— Il veut sans doute rester à Paris pour discuter avec sa femme de leur éventuel divorce.

— Sûrement pas ! Elle, elle est avec ses deux mecs.

— Comment deux ?

— Le grand et le petit : le papa gâteau et le bébé biberon.

— Ils partent pour le week-end ?

— Oui, ils vont dans le Larzac.

— Le Larzac ?

— Oui ! Tu as quelque chose contre ?

— Non, mais...

— Son amoureux est apiculteur.

— Ah...

— Et député !

— Oh... il s'occupe de ses abeilles entre deux séances à la Chambre ?

— Il y a un peu de ça. Toujours est-il que Nadine sera là-bas pendant le week-end et que Serge, lui, sera je ne sais où, avec je ne sais qui, dont je ne sais rien... sinon qu'il en a reçu un texto hier au restaurant et que juste après il m'a annoncé qu'il n'irait pas à Trouville.

Brusquement, je revois Serge inquiet consulter en douce son portable, puis détendu le remettre dans sa poche.

— A priori, dis-je, le texto d'une bimbo qui n'aime pas les fruits de mer.

— Ce n'est pas bon signe, réplique Victoria abusivement hargneuse.

— Pour elle ou pour lui ?

— Pour les deux !

Enfin le clown rigole de sa mauvaise humeur et de sa mauvaise foi. Je peux raccrocher. Le téléphone encore en main, j'ai la tentation d'appeler Serge comme si j'étais la maman bon chic bon genre de la bimbo antitrouvillaise qui, affolée de voir sa fille se compromettre avec un homme marié, exige qu'il divorce au plus vite pour pouvoir épouser l'héritière.

Ce n'était là qu'une façon facétieuse d'apprendre à Serge que j'étais au courant de ses cachotteries. Mais tout à coup, je me suis souvenue que je n'avais plus douze ans et demi — un de mes trous de mémoire récurrents — et eu égard à mes petits-fils j'ai renoncé à cette plaisanterie.

Bien m'en a pris ! Trois jours plus tard, après le film du dimanche soir : coups de sonnette répétés, insolites, voire inquiétants à cette heure. Méfiante, j'interroge l'interphone :

— Qui est là ?

Réjouie, une voix que je reconnais (presque) me répond :

— Un homme heureux !

Rassurée (presque) j'insiste :

— Mais encore ?

Réprobative, la voix m'annonce :

— Serge voyons !

Déjà sur les charbons ardents, je questionne :

— Qu'est-ce qui se passe ?

Simple, sérieux, calme, Serge m'annonce :

— Je suis amoureux !

Surprise, touchée, décontenancée, il ne me vient même pas à l'idée de plaisanter en demandant :
— De moi?
Est-il besoin de préciser que j'ai presque couru pour lui ouvrir ma porte? Ma jum' sur mes talons!

# Chapitre 18

Sans préambule, mon visiteur du soir me tend un cahier rose à spirale. Sur la couverture, en lettres d'imprimerie noires, un mot : ELLE.

D'un geste, il m'invite à l'ouvrir. Je le feuillette... et l'invite, moi, à me suivre dans mon bureau.

Assise en face de lui, craignant le pire, espérant le meilleur, je commence à lire ce qui suit :

« Moi, Serge Vollard, né le 17 février 1955, sain de corps et d'esprit, déclare sur l'honneur être amoureux pour la première fois.

« J'ai cru l'être à plusieurs reprises. Je me suis surtout forcé à le croire. Et à le dire. Pour être comme les autres. Dans ma jeunesse, j'étais tellement complexé de voir les garçons de mon âge foudroyés par " le mal délicieux ", de les voir soudain se métamorphoser, l'actif en rêveur, le vantard en modeste, le poltron en courageux, de les voir devenir eux en mieux ! Vivre au-dessus de leurs moyens physiques et intellectuels, alors que moi... je restais désespérément égal à moi-même !

« J'ai tellement envié leur délire. Envié leur silence. Envié leur feinte compassion quand ils me disaient : " Tu ne peux pas comprendre "... alors qu'effectivement, je ne comprenais rien.

« J'ai tellement complexé aussi, en entendant mon père : ses soupirs, ses craquements, ses déchirements, ses mensonges, ses " plus jamais ", ses " pour toujours ", alors que moi, pas une fois je ne me suis risqué au-delà d'un " peut-être ", ou d'un " pourquoi pas ? ".

« J'ai tellement complexé devant l'Amour avec un grand A, qu'un jour... comme un sportif ou un intellectuel qui l'un, acharné à battre un record, l'autre, à écrire un chef-d'œuvre, se conditionnent pour atteindre leur objectif, je me suis aussi conditionné pour atteindre le mien : aimer.

« J'ai commencé par m'immerger dans les poèmes romantiques. J'y ai découvert, stupéfait, tout ce qu'un cœur pouvait recéler de joies et de souffrances, d'exaltations et de désespérances, de nostalgies et d'oublis. J'ai raisonnablement tenu compte des exagérations inhérentes aux poètes mais j'ai pensé quand même qu'ils n'avaient pas tout inventé. Que je devais avoir comme eux, et comme tout être au monde, un potentiel sentimental. Le mien, simplement, restait à exploiter. Je m'y suis employé de mon mieux :

« J'ai multiplié les rencontres susceptibles de déclencher le processus passionnel. J'ai choisi des partenaires qui avaient tout pour me séduire, physiquement et sexuellement. Pour moi c'est essentiel. Je le déplore. Je m'en veux d'avoir peut-être raté les faveurs d'Eros, à cause d'un nez, d'une fesse ou d'un sein qui ne m'inspirait pas. Mais je suis comme je suis. Conscient de ne pouvoir me changer, j'ai toujours couru après l'" inaccessible étoile " avec des filles ou des femmes correspondant à mes goûts. Et de préférence, avec celles qui, en plus, étaient comme moi en manque affectif.

« Je les ai emmenées dans les lieux recommandés par tous les guides du savoir-aimer. J'ai collectionné les clairs de lune signalés " mille étoiles ", les lagons transparents, les palais des Mille et Une Nuits.

« J'ai toujours apporté au moindre de mes élans, à la moindre de mes velléités, le soutien musical de Wolfgang, de Frédéric, de Duke et des autres ; le soutien également plus prosaïque mais non négligeable de mets raffinés et de nectars voluptueux. Ça aide. Souvent. Parfois. Moi, jamais ! Moi, rien ! Tous mes efforts, tous mes subterfuges, tous mes trompe-cœur se sont révélés inutiles.

« Comme un enfant injustement privé de dessert, je me suis senti frustré et cette frustration a fini par rendre carrément malheureux le gourmand de la vie que j'étais. Oui, malheureux. Si curieux que cela puisse paraître, mon chagrin d'amour à moi, c'était de ne pas aimer. L'humour l'a balayé en moins de temps qu'il en faut pour en rire, le jour où par hasard je suis tombé sur cette phrase d'Oscar Wilde : " On peut être heureux avec n'importe quelle femme à condition de ne pas l'aimer !... " A l'époque, je me suis empressé de citer cette phrase à la plus récente de mes conquêtes. Je m'attendais de sa part à des récriminations, ou à des soupirs méprisants, ou encore à une paire de claques. En tout cas, pas à la réponse qu'elle m'a envoyée sur-le-champ : " Totalement d'accord avec Oscar Wilde. Quand se marie-t-on ? "

« Un mois plus tard, elle était mon épouse. Elle l'est restée jusqu'à ce jour, me persuadant, mois après mois, année après année, que l'indifférence mutuelle dans un couple est le plus sûr garant de l'entente conjugale et de sa longévité. »

Je lève le nez du cahier ·
— C'est Nadine ?
— Bien sûr !
— Et c'est d'elle dont vous êtes subitement tombé amoureux après vingt-quatre ans de loyale camaraderie ?

— Non ! D'une inconnue, après vingt-quatre heures réparties en trois nuits blanches.

— Félicitations !

— Méritées, mais pas pour la raison que vous imaginez.

A mon œil dubitatif, Serge répond par un nouveau signe de la main, m'invitant à reprendre la lecture de son cahier :

« J'étais un homme heureux. J'étais un homme libre. Sans souci de couple. Sans souci de travail et même sans souci " des jours qui raccourcissent ".

« Je partageais mes loisirs entre mes amis, mes nanas-Kleenex, mes livres et ma " pêche aux mots ". Or...

« Mes amis ? Ils avaient tous des peines de cœur ou des problèmes de cul — ce qui revient souvent au même !

« Mes nanas-Kleenex ? Elles cicatrisaient mal au niveau de l'ablation du prince charmant !

« Mes livres ? Ceux que je lisais maintenant ne me racontaient que les " horreurs de l'amour " comme celui jadis de Jean Dutourd, devenu depuis longtemps mon livre de chevet.

« Ma " pêche aux mots " ? Au bout de ma plume-hameçon, le plus souvent ne s'agitaient gaiement que les déboires sentimentaux des autres.

« Vraiment, ils étaient perdus dans les brumes du passé, mes regrets de ne pouvoir aimer. J'en étais depuis longtemps à me féliciter de cette carence. A m'en réjouir même.

« Et voilà que le hasard, renversant les frontières de mon " no love's land ", vient m'offrir l'amour de ma vie. »

Je lève le nez :

— Qui est-ce ?
— Lisez ! Vous le saurez.
— Je la connais ?
— Lisez !
Je grogne et je lis :

« Je l'ai remarquée par une nuit sans lune. Non pas sur les bords d'un lagon transparent, ni dans un palais des Mille et Une Nuits. Mais dans un lieu austère pour ne pas dire sinistre. Elle n'était pas d'une beauté spectaculaire. Il fallait la regarder attentivement pour s'apercevoir qu'elle avait sans artifice la peau solide et lisse des Asiatiques, des lèvres bien dessinées sans Botox, un nez fin et droit sans rabotage, des yeux en amande sans maquillage et des yeux gris... comme les quelques fils d'argent qui couraient sur ses cheveux, d'un châtain d'écolière. Elle était ravissamment démodée. Dans ses gestes. Dans sa voix. Dans sa façon de s'exprimer. Dans sa démarche. Elle était... Elle est en tout le contraire d'une bimbo. »

J'interromps ma lecture pour la troisième fois :
— C'est la dame de la réa ?
Serge sourit et s'exclame :
— Expression exacte à cent pour cent : c'est une Dame avec un grand D et elle nous a réanimés, Victoria et moi ! Je suis content que vous l'ayez reconnue à travers ma description.
— Je ne l'aurais pas décrite autrement. Sauf que...
— Quoi ?
— J'aurais ajouté que sous sa blouse, elle avait tout ce qu'il fallait pour vous inspirer !
— Je l'ai remarqué. Mais j'ai écrit ces notes tout à l'heure pendant qu'elle dormait et son corps, si incitatoire qu'il soit, avait déjà moins d'importance pour moi que le reste.

— C'est quoi le reste ?

— Sa bonté. Sa luminosité. Son honnêteté.

— Vous êtes vraiment amoureux.

— Oui, mais un amour fou... de plein de raisons !

— Ça a été un coup de foudre comme celui de Gilles et Victoria ?

— Pas tout à fait, mais quand même... le premier soir, je devais passer cinq minutes à l'hôpital pour voir Victoria... et je suis resté deux heures. Le deuxième soir... quatre heures. Le troisième... je suis parti un peu avant la fin de son service. Le lendemain... je suis resté jusqu'au bout et je l'ai raccompagnée chez elle.

— Ah ! C'est là que...

— C'est là que j'hésitais comme un véritable puceau et qu'elle m'a dit : « Vous devriez monter. Il faut qu'on en ait le cœur net. »

La phrase m'attendrit comme elle a dû attendrir Serge. Comme elle l'attendrit encore. C'est pourquoi il enchaîne rapidement :

— Et on en a eu le cœur net ! Tous les deux ! Mais c'est elle qui a pris l'initiative des aveux. Avec trois mots que j'entendais pour la première fois.

— Lesquels ?

— « Je vous aime. »

Le ton de Serge est si sérieux que mon envie de rire s'efface devant mon étonnement.

— On ne vous les avait jamais dits ?

— Non ! Dans le meilleur des cas on m'avait dit : « Je t'aime. » Dans le pire : « Tu me plais bien ! » Mais, « je vous aime », jamais ! Ça m'a fait un effet...

— Et vous lui avez répondu la même chose ?

— Oui. Spontanément. Et depuis, c'est terrifiant : on se vouvoie avec les lèvres. Et on se tutoie avec les yeux. Sauf au lit, où on se tutoie de partout.

Pour un peu, il rougirait de son audace ! En tout cas, soucieux de ne pas pousser les confidences sur les

bagatelles de l'alcôve, il m'indique d'un index impératif, sur la page de son cahier, le paragraphe où je me
suis arrêtée et me lance comme une supplique :

— Lisez !

J'obtempère. Avec satisfaction, en comprenant que
dans les prochains paragraphes il va répondre aux
questions que je m'apprêtais à lui poser :

« Elle s'appelle Marie Lesage ! Dans un roman, un
personnage lui ressemblant à qui l'auteur aurait donné
ce nom, ça m'aurait agacé. Trop voulu ! Trop facile !
Mais dans la vraie vie, ça me plaît bien. D'ailleurs c'est
simple, tout me plaît en elle. Ce n'est pas une femme
que j'aurais pu trouver dans " le prêt-à-aimer ". Uniquement dans le " sur mesure ". En plus des cadeaux
de la nature, elle a de la vie une expérience très dif-
férente de la mienne mais dont elle a tiré les mêmes
leçons : elle a été mariée avec un homme qui n'a pas
mis plus de deux ans à la convertir définitivement au
culte du célibat. Elle a dans son entourage une ribam-
belle de neveux, de nièces, de filleuls, s'étalant du berceau à la mob, qui l'ont à tout jamais découragée de
procréer. Elle aime son métier, ses très rares amis, la
lecture, l'écriture, au stade de la correspondance...
pour le moment ! Elle aime les fruits de mer, mais elle
préfère l'Atlantique à la Manche... pour le moment
aussi !

« Ah ! J'oubliais : elle n'a jamais cherché quelqu'un
qui lui soit complémentaire. Mais quelqu'un qui serait
son double.

« Comme moi ! »

Je rends son cahier à Serge, avec un commentaire
qui doit tout à ma résurgente déformation professionnelle :

— Ça pourrait être le début d'un roman ! Que vous
écririez bien entendu, vous. Pas moi.

— J'espère bien que non !

— Pourquoi ?

— Les gens heureux n'ont pas d'histoire et il en faut dans un roman. C'est pourquoi d'ailleurs, ayant été jusque-là épargné par les malheurs, ma « pêche aux mots » s'est contentée d'être une pêche... et n'a jamais été une pêche au gros !

— Attendez... ça peut venir !

Serge se lève d'un bond pour aller toucher du bois avec les doigts croisés.

Dans l'arrière-fond de ma tête, j'entends cette maudite jum' qui rêve tout haut : « Evidemment, l'idéal serait que le ciel bleu de Serge lui tombe sur la tête, que, par exemple, à travers son portable il apprenne une catastrophe qui bouleverserait sa vie en le privant des trois femmes qui à titres divers le rendent heureux : Marie, Nadine, Victoria. »

Eh bien non, ma jum' repart bredouille ! Et Serge, lui, s'en va, léger, insouciant, comblé, avec à la main son cahier d'écolier amoureux...

Il a raison, sa vie n'est pas un roman !

« A moins que... », me souffle mon incorrigible jum'.

# Chapitre 19

La France est à la veille du référendum sur la Constitution de l'Europe.

Moi, je suis chez le coiffeur entre les mains de Jean-Mi, mon coloriste. Il est en train, avec son pinceau de fée, de changer la neige de mes cheveux en blond bébé. Il en est à la moitié de son ouvrage quand il m'annonce avec bonheur :

— Pour une fois, vous allez pouvoir rencontrer votre filleule.

— Ah bon ? Elle a rendez-vous aujourd'hui ?

— Oui, dans un quart d'heure.

— C'est rare : elle n'est jamais à Paris pendant le week-end.

— Oui, mais demain elle veut être belle : elle a une soirée élections dans plusieurs ministères.

— Avec son mari ?

— Non ! Avec une copine dont l'ami est député... dans le Centre, je crois.

— A l'UDF ?

— Non ! Dans le Larzac ! C'est là que mon grand-père s'est caché pendant l'Occupation.

A chacun ses repères : pour moi le Larzac, c'est là que Nadine, la femme de Serge, se réfugie entre deux discussions plus ou moins tendues avec son mari, à propos de leur divorce. Lui, s'y refusant toujours malgré l'irruption de Marie dans sa vie et avec l'assentiment de celle-ci. Elle, le réclamant sous la pression de son député-père, en quête d'un foyer présentable... aux prochaines législatives !

Jean-Mi a surpris mon froncement de sourcils au nom de Larzac et s'étonne :

— Vous ne connaissez pas ?

— Le Larzac ?

— Non, la copine de votre filleule.

Je me donne le temps de réfléchir en demandant :

— Comment s'appelle-t-elle ?

— Nadine Vollard.

J'opte pour une semi-vérité :

— Non, je ne l'ai jamais vue et Paule ne m'en a jamais parlé. En revanche, j'ai rencontré un certain Serge Vollard, une ou deux fois à Deauville.

— C'est son mari ! Il a des attaches dans le coin.

— Il est très sympathique.

— Comme ami il paraît ; mais alors comme mari... d'après elle, nul de chez nul ! D'ailleurs, ils ne vivent pas ensemble.

— Ah bon ?

— Enfin... si : ils vivent ensemble, mais séparément ! Si vous voyez ce que je veux dire...

— Très bien !

— Le contraire de votre filleule et de son époux !

Les bras m'en tombent en même temps que de ma bouche tombe une approbation minimaliste. Néanmoins, elle suffit à Jean-Mi pour continuer sur sa lancée :

— Il a de la chance, le baron !

— Elle aussi ! Il est très gentil et... très généreux avec elle.

— Il peut ! Avec tout ce qu'elle fait pour lui, tout ce qu'elle supporte...

Au ton incisif de mon figaro, je comprends que Paule ici — et sans doute partout — joue la femme trompée mais irrévocablement amoureuse et fidèle, « la cocue magnifique » en quelque sorte. Je découvre en plus qu'elle ne joue pas le rôle en demi-teinte :

— Elle est sublime ! décrète Jean-Mi. Rendez-vous compte, elle m'a dit pas plus tard que la semaine dernière qu'elle était amoureuse comme au premier jour !

Je m'empresse de confirmer, pour mon plaisir personnel :

— Ça, c'est vrai, exactement comme au premier jour !

Je me garde de préciser : « Aussi déterminée, aussi sainte-nitouche qu'au premier jour. Surtout aussi maligne. Car vraiment il faut l'être pour comprendre primo qu'il est plus avantageux d'être plainte que d'être enviée. Secundo qu'il est plus valorisant de passer pour une femme aveuglée par l'amour que pour une femme qui ferme les yeux par intérêt !

D'une certaine façon, je lui tire mon chapeau à ma filleule. Bâtarde, née Paulette Tonneau, dans une bourgade normande, elle aurait sans doute pu en d'autres temps rivaliser avec Antoinette Poisson et moi devenir la marraine de la Pompadour ! Mais ne rêvons pas ! Jean-Mi est sur le point de me quitter... provisoirement. Il survole mon crâne, vérifie qu'aucune parcelle de mon cuir chevelu n'a échappé à son pinceau magique. Satisfait, il le repose sur la tablette et s'amuse à disposer mes mèches engluées à la base par sa mixture tout autour de ma tête, comme les piquants d'un hérisson. Touche finale : dans du papier d'argent, il enveloppe les branches de mes lunettes de lecture afin de les protéger de sa teinture et me permettre de lire en toute quiétude mes magazines people préférés pendant mes quarante-cinq minutes de pose ! Quarante-cinq minutes de détente ! Quel bonheur !

— Besoin de rien ? me demande Jean-Mi en partance pour une toison voisine, hésitant entre le cuivre doré et le cuivre orangé.

Avant de baguenauder à Potinville, je me jette un coup d'œil dans la glace : avec ma coiffure « simili pétard » et mes bésicles de grand-mère sur le bout de mon nez, je suis ridicule à souhait et plonge tête la première dans ma gazette. Je viens de terminer la rubrique récurrente : « Qui couche avec qui ? » Je m'apprête à entamer la rubrique exceptionnelle : « Qui vote quoi ? » quand soudain, j'entends la voix claironnante de Jean-Mi :

— Elle est là ! Dans le coin ! Elle vous attend. Je vous apporte deux chaises.

Je tourne la tête — toujours ridicule — et vois, bien entendu, arriver vers moi, pimpantes, pépiantes, pomponnées, ma filleule et Nadine Vollard. La première est comme d'habitude, jolie comme un cœur... mais pas plus ! La seconde cache mal sous une convivialité excessive les complexes que génèrent en elle sa taille au-dessus de la moyenne, son poids très au-dessous, et son snobisme atavique, hors norme de nos jours. Curieusement, Paule issue d'un milieu plus que modeste et Nadine issue d'un milieu privilégié ont le même souci de faire oublier leurs origines par leur comportement, leur vocabulaire, leurs vêtements... et leurs chaussures ! C'est ainsi que Paule, avec une jupe de coupe impeccable, porte de très élégants escarpins à talons qui me plaisent beaucoup et Nadine, avec un jean délavé, des baskets délacées qui m'exaspèrent. Leurs complexes, à la fois communs et opposés, les ont sans doute rapprochées. Sans doute aussi la ressemblance entre leurs deux vies privées.

Mais suis-je censée être au courant ?

Mme Vollard, précieuse auxiliaire, a l'excellente idée de m'apprendre que oui :

143

— Comme vous le savez... bien entendu, depuis vingt-quatre ans, je vis derrière la même façade socio-conjugale que Paule. Elle, au terme d'un arrangement à l'amiable postnuptial. Moi, au terme d'un accord prénuptial, dûment établi. Comme elle, j'en connais les avantages — entre autres la liberté d'action et l'insouciance financière...

— Sous surveillance, précise Paule.

— Certes. Mais quand même...

Approbation imperceptible de Paule. Enchaînement rapide de Nadine Vollard :

— Ce qui nous différencie, Paule et moi...

— Depuis quelque temps seulement, précise Paule.

— Peu importe ! Ce qui nous différencie, c'est que Paule est très attachée à son modus vivendi avec son mari.

— Attachée à mon mari tout court, corrige Paule. Et je lutte pour le conserver.

— Ça oui ! Tandis que moi, je bataille pour le changer.

— Le mari ou le modus vivendi ?

— Les deux ! Soyons clairs : je veux divorcer au plus vite, donc à l'amiable, pour épouser un autre homme. Or, mon mari s'y oppose catégoriquement.

— Pour quelle raison ?

Nadine Vollard lève les yeux au ciel pour souligner l'inanité de la raison invoquée par Serge :

— Il prétend que c'est pour mon bien... pour m'éviter d'avoir le cœur pris au piège du fil à la patte !

C'est le même genre d'argument que Serge a donné à Victoria pour justifier son refus ; argument sur lequel j'avais eu le malheur d'émettre un avis... partagé. Avec Mme Vollard, pas de problème ! C'est plus simple : elle ne s'inquiète pas du tout de mon avis. Elle le pense forcément semblable au sien. Elle me demande

144

uniquement de plaider sa cause — pour ainsi dire : la nôtre — auprès de son mari.

Un peu interloquée, je suggère que...

— Il y a sûrement des personnes plus proches de votre mari et de vous qui seraient plus aptes à remplir cette mission que moi.

— Non ! J'ai fait le tour ! Vous êtes la seule à pouvoir l'influencer... en dehors de Victoria, sa collaboratrice... Vous connaissez ?

Par chance, Paule répond à ma place :

— Elle la connaît par moi, je lui en ai beaucoup parlé mais elle ne l'a jamais vue.

— De toute façon, reprend Nadine Vollard, il serait inopportun de la déranger avec ce genre d'histoire.

— Surtout en ce moment ! insiste Paule.

— Pourquoi en ce moment spécialement ?

— Même Gilles la trouve « survoltée »... autant avec sa clique des QM pendant les répétitions de leur spectacle, qu'avec lui dans le privé.

Je ne suis guère étonnée par la « nervosité » de Victoria. Depuis sa convalescence, nous ne nous sommes parlé que par messages téléphoniques interposés. Tous très brefs, de son côté. Tous pour me signaler qu'elle était surbookée. Le dernier pour me promettre qu'elle viendrait me voir dès qu'elle serait redevenue fréquentable mais qu'en ce moment...

Le message avait été coupé net sur ces mots, très probablement par une montée de larmes.

« En ce moment » : à quelques jours d'intervalle cette précision a été prononcée par la voix mal assurée de Victoria et celle agressive de Paule. Sûr qu'il se passe quelque chose « en ce moment » dans la vie de Victoria. Quelque chose de peu réjouissant puisqu'elle le cache, comme elle a caché, naguère, sa brutale rupture avec Gilles. Mais quoi ? La pensée de Paule doit

suivre un chemin voisin de la mienne, mais plus vite :
sa réponse devance la mienne :

— Je parie que Victoria nous refait encore une
crise !

Ce « nous » ne me dit rien qui vaille.

— Une crise de jalousie ?

Ricanement et intervention de Nadine Vollard :

— Ça peut s'appeler comme ça ! Mais moi, je
dirais plutôt une crise de possessivité, présentée
sous le masque d'un idéalisme anachroniquement
romantique.

Je ne déteste pas les préciosités langagières, mais
faut-il encore que dans la conversation les fossettes
d'un sourire ironique leur servent de guillemets.
Comme ce n'est pas le cas, bien que je l'aie parfaitement comprise je lui demande :

— Vous voulez dire quoi au juste ?

— Tout simplement que Victoria est une comé-
dienne-née et qu'elle joue à ce pauvre Gilles l'héroïne
enflammée d'une comédie démodée qui pourrait
s'intituler : « Un amour comme on n'en fait plus ».

Navrée de ne pouvoir prendre ouvertement la
défense de Victoria, je me contente de suggérer que...

— Elle ne joue peut-être pas.

— Ah si ! affirme ma filleule. Très bien même !

— Comment peux-tu juger ? Tu ne l'as pas entendue, je suppose ?

— Non, mais Gilles m'a raconté.

— Ah... je comprends.

— En plus, la vache, elle a un bon texte !

— Ah bon ? Qu'est-ce qu'elle dit ?

— Ben..., entre autres, qu'elle veut que Gilles
divorce non pas pour porter, par la suite, le nom de La
Rivandière, mais pour que moi, je ne le porte plus !

— Effectivement, ce n'est pas un mauvais
argument.

146

— Bidon ! Il faut vraiment que Gilles soit amoureux pour s'y laisser prendre.

— Parce que selon toi il est toujours...

— Dingue ! Accro ! Tous azimuts ! Elle devrait être contente !

— Elle semblait l'être... d'après ce que tu me disais.

— Mais oui ! On était tranquilles ! On avait enfin trouvé un équilibre... Et vlan ! Voilà qu'elle fiche tout par terre avec ses exigences. J'en ai vraiment ras le bol ! C'est d'ailleurs pourquoi je suis ici.

— Quel rapport ?

— Moi aussi je voulais te demander de plaider ma cause.

— Auprès de ton mari ?

— Non, auprès de Victoria.

Miraculeusement, j'ai le bon réflexe :

— Tu oublies que je ne la connais pas.

— Non, mais elle, elle te connaît. D'abord par tes bouquins, ensuite par Gilles. Il y a longtemps qu'elle souhaite te rencontrer. Ça serait une bonne occasion. Gilles pourrait organiser un petit dîner, après une de leurs répétitions. C'est dans ton quartier. Ça ne te dérangerait pas beaucoup.

Nadine prend le relais :

— Ça pourrait arranger beaucoup de choses, non seulement pour Paule et son mari, mais aussi pour cette petite Victoria, qui en dehors de ses caprices a beaucoup de qualités... d'après Serge qui est plutôt misogyne pourtant.

Comme j'ai une moue dubitative, Nadine ajoute avec un sourire forcé :

— A part quelques exceptions !

Je cherche une dérobade. Faute de la trouver, je sollicite un temps de réflexion. Magnanimes, ces dames me l'accordent ; se lèvent et se dirigent vers le bac à

147

shampooing, côte à côte, mais Nadine dix centimètres au-dessus de Paule, malgré ses baskets !

Quant à moi, je suis toujours aussi ridicule que tout à l'heure sous mon casque digne d'un Star Wars. Et même un peu plus, maintenant que j'ai dessous une tête renfrognée.

Ça m'ennuie de relancer Victoria, de lui imposer ma présence, mes conseils. Si elle n'a pas envie de me parler, ni de m'écouter, c'est son droit. Elle est libre.

Ça m'ennuie de m'immiscer dans les affaires de Serge surtout pour plaider une cause dont je ne suis pas absolument sûre qu'elle soit bonne.

Mais...

Ça m'ennuie de refuser à ma filleule d'intervenir auprès de Victoria. D'autant que dans une certaine mesure, je crois pouvoir être utile à l'une... et surtout à l'autre !

Ça m'ennuie aussi d'envoyer paître Nadine Vollard. Pour être franche, surtout à cause de ma jum'. C'est elle qui me pousse à aller fureter de ce côté-là.

En conséquence de quoi...

De nouveau présentable, avec mon blond bébé et ma coiffure intemporelle, je vais prendre congé de Paule et de Nadine, toutes deux en fin de brushing, assourdies par le vrombissement des séchoirs électriques.

Dans ce contexte sonore, je leur annonce très succinctement que je suis d'accord pour être leur porte-parole.

Très succinctement elles m'en remercient. Je sais déjà que mon entremise ne mérite pas plus et qu'elles seront déçues du résultat...

Mais peut-être pas ma jum' !

# Chapitre 20

— Allô, madame Lesage ? Je suis... Ah... vous avez reconnu ma voix ?

Affolement immédiat au bout du fil :

— Il est arrivé quelque chose à Serge ?

— A part vous, rien !

Rire libérateur :

— Alors, de ça, j'espère qu'il ne guérira pas !

— J'aimerais vous parler assez vite.

Franchise rare :

— Je serais vraiment ravie de vous voir, mais je rentre de l'hôpital, je suis horriblement fatiguée. Je n'ai pas envie de ressortir. Mais si vous avez le courage de venir...

— J'arrive !

— Mais...

— J'ai votre adresse.

— Mais...

— Je connais le chemin !

Je n'en ai aucun mérite. Marie Lesage habite à Montmartre, mon ancien quartier. Précisément rue Berthe, presque au sommet de la Butte. C'est pourquoi les appartements de certains vieux immeubles rénovés surplombent le paysage et bien qu'étant au niveau « − 2 » comme celui de Marie bénéficient

d'une vue panoramique, comme s'ils étaient au septième ou huitième étage. Je le sais parce que du temps
où j'étais montmartroise, j'ai failli louer un de ces
appartements, disons un grand studio baptisé deux
pièces, afin de le convertir en bureau secret, sans téléphone et avec des placards de rangement si nombreux
que j'en aurais eu un avec des étagères vides : mon fantasme ! Je l'ai visité. J'ai été très tentée. Mais je me suis
attardée sur la terrasse qui le prolongeait et de laquelle
on découvrait la moitié de Paris. De chez moi on
découvrait la cuisine de mes voisins : c'était curieusement beaucoup plus propice au travail ! J'ai donc
hésité. J'ai dit à l'agent immobilier que je reviendrais le
lendemain... et le lendemain, j'ai appris qu'un visiteur,
lui aussi séduit par le lieu, avait conclu l'affaire sur-le-
champ... avec surenchère !

Aujourd'hui, à l'instant, je viens d'apprendre par
Marie que cet homme décidé était son père ; que par la
suite, il a acheté l'appartement et que c'est elle qui l'a
hérité il y a quatre ans, quand il est mort.

Comme lui, comme moi, Marie a eu le coup de
foudre pour cet endroit et y a emménagé aussitôt que
possible.

Ainsi, je me retrouve là où il y a une trentaine
d'années j'ai rêvé... de rêver ! Je raffole de ce genre de
coïncidences. Comme Marie. Je m'amuse à survoler les
événements qui se sont succédé pour que cette coïncidence se produise, en commençant par la fin :

— Il a fallu, dis-je, que vous tombiez amoureuse de
Serge ; que je connaisse Serge grâce à Victoria ; que je
connaisse Victoria à cause de Gilles ; que je connaisse
Gilles à cause de Paule ; que je connaisse Paule à cause
de sa mère Marguerite et que je connaisse Marguerite
à cause de la Trinquette, un bistrot normand où
l'on vendait du pommeau et du calvados. C'est fou,

non ? cette suite de hasards. Et je pourrais remonter plus loin !

— Attendez ! De mon côté, c'est pareil !

— Racontez !

— D'accord ! Mais moi je vais commencer par le commencement.

— Votre naissance ?

— Oui, justement ! Mais ne craignez rien, je vais passer des épisodes !

— C'est parti ! Donc, pour que vous atterrissiez ici il a fallu que vous naissiez.

— Oui ! Pas dans l'euphorie, trois mois seulement après le mariage de mes parents : mariage d'amour fou pour ma mère, mariage d'amour très calculé pour mon père, jeune médecin impécunieux qui a pu ouvrir son premier cabinet grâce à l'argent de ses beaux-parents.

— Je vois. La suite ?

— Vingt-cinq ans plus tard, il a fallu que mon père qui était un papillonneur invétéré...

— Comme le père de Serge...

— Et comme Serge lui-même ! Il a fallu donc que mon père, comme Serge, à la cinquantaine, tombe amoureux. Eperdument. D'une jeune femme mariée qu'il n'appelait paraît-il que « la Dame ».

— Pourquoi « paraît-il » ?

— Je n'ai jamais su cette histoire de son vivant. Elle m'a été racontée après son décès, selon son vœu, par un tiers qui en a été le seul confident.

— Je comprends. La suite ?

— Il a fallu que les conjoints respectifs de mon père et de « la Dame » soient atteints de maladie très grave et que les amants coupables se refusent à la fois à répudier leur passion et à la cacher dans des hôtels impersonnels. D'où la nécessité pour eux de dénicher un petit appartement avec une cuisine et une salle de bains en ordre de marche... comme chez soi et d'y vivre dans une espèce de légalité clandestine.

— Maman appelait ça un « comme si ».

— C'est exactement ça.

— Excusez-moi, je vous ai coupée. La suite ?

— Il a fallu que mon père en se rendant chez un de ses vieux clients, rue Berthe, passe devant l'affiche de l'agence immobilière annonçant « l'affaire du jour ». Il est entré à tout hasard dans l'immeuble, a visité le « comme si »... après vous et s'est décidé à le louer... avant vous !

— Et voilà comment aujourd'hui vous habitez là !

— Une seconde ! Il a fallu encore pour cela que « la Dame » et mon père, après des années d'un bonheur inaccessible au tartre du quotidien, ne survivent que quelques heures à un accident de voiture. Il a fallu que mon père, prévoyant, ait dans son portefeuille un papier stipulant le nom de « la personne à prévenir », le seul confident de sa liaison extraconjugale et de ses dernières volontés : son notaire !

Marie m'avoue que l'histoire de son père l'a beaucoup marquée. Elle ne doute pas qu'il ait eu pour « la Dame » un sentiment très fort, voire exceptionnel. Mais elle est sûre que ce coureur invétéré ne lui serait jamais resté aussi longtemps fidèle s'il avait pu l'épouser. Si elle avait cessé d'être pour lui le fruit défendu. L'éternel regret.

L'exemple de son père l'avait poussée à mener une discrète enquête auprès des couples de son entourage, légitimes ou non. Résultat ? D'une part, les alliances échangées n'enserraient plus, à plus ou moins long terme, que des habitudes et devenaient peu à peu si larges qu'on les enlevait de plus en plus souvent. D'autre part, l'amour s'épanouit mieux derrière une porte ouverte que derrière une porte fermée par des

verrous officiels. L'idéal dans un couple étant que chacun ait envie de rester, alors que l'un comme l'autre
sait qu'il peut partir, sans formalité.

— Par chance, conclut Marie, Serge, lui aussi en
partie à cause de son père... et de sa belle-mère, pense
exactement comme moi.

J'ai un bref éclat de rire dont je m'empresse de lui
expliquer la raison :

— Je suis ici, mandatée par Nadine Vollard, avec
mission de vous convaincre d'exhorter Serge à vous
épouser, afin qu'il consente à divorcer.

A son tour, Marie éclate de rire.

— Vraiment, vous ne pouviez pas plus mal tomber ! Après ce que je viens de vous raconter, chère
émissaire, votre mission est terminée !

— Pour être franche, ça ne m'étonne pas du tout...
et ça ne me contrarie pas vraiment que ni Serge, ni
vous ne souhaitiez officialiser votre situation.

— C'est même une des premières choses qui nous a
rapprochés.

— En revanche, je ne suis pas totalement d'accord
sur l'obstination de Serge à refuser le divorce à sa
femme.

— Moi, si ! me répond Marie avec un rien de provocation, et autant vous prévenir : vous ne me ferez
pas changer d'avis.

— Pouvez-vous au moins m'expliquer pourquoi ?

Marie se lève, essaye d'esquiver en me proposant un
café, un thé, un jus de fruits, avec un empressement tel
que ma jum' me pousse à insister :

— Non merci, je ne veux rien... sinon comprendre
votre ou vos raisons d'empêcher l'épouse de Serge de
se remarier.

Marie tergiverse encore :

— Ça va vous paraître bizarre... et même invraisem-
blable... encore que vous, vous aimez passionnément

votre métier et que vous n'aimez pas beaucoup vous occuper du reste... de tout le reste.

— Euh... oui... c'est exact, mais quel rapport ?

— Serge est comme vous. Moi aussi d'ailleurs, à un moindre degré peut-être.

— Et alors ?

— Depuis plus de vingt ans, la femme de Serge s'occupe... justement de tout le reste. Elle tient auprès de lui un emploi, non labellisé sur le marché du travail et que Serge, lui, appelle « gérante de vie ».

D'un sourire, j'apprécie le terme fort explicite dont Marie me confirme qu'il est totalement mérité par Nadine Vollard.

— Elle est à la fois la maîtresse de maison dont Serge a besoin pour ses dîners relationnels. Multiopérationnelle : Cuisine. Plan de table. Conversation. Elle est la secrétaire parfaite qui le décharge de tout souci d'ordre administratif. Elle est enfin l'intendante qui veille à l'entretien de leur appartement ainsi qu'au renouvellement de sa garde-robe et de son linge de corps. Tâches dont je ne saurais et surtout ne voudrais m'acquitter pour rien au monde. Même aux conditions financières fort enviables qui sont celles de sa « gérante de vie ».

— Vous ne pensez pas que vous pourriez faire un petit effort ?

— Serge ne me le demande pas. Il a d'ailleurs à ce sujet une phrase que j'adore.

— J'ai le droit d'adorer aussi ?

Marie se détend enfin pour me livrer avec délectation la formule de Serge :

— « Il ne faut pas que tu me sois utile... si tu veux me rester indispensable ! » C'est joli, non ?

J'approuve chaleureusement, avec un bémol dans mon for intérieur. Je parierais que Serge a sorti cette formule de sa « pêche aux mots » ou qu'il va l'y plonger. C'est typiquement la phrase d'un écrivain : séduisante à lire, à entendre, mais qui transcende un peu la vérité. Bien que... après tout, à chacun sa vérité : la leur me paraît décoiffante à travers leur volonté commune d'entraver les projets matrimoniaux de Nadine Vollard. A travers aussi le ton péremptoire que prend Marie pour justifier leur attitude, ton assez inhabituel chez elle :

— Notre amour a miraculeusement trouvé son équilibre entre nos deux caractères, et nos obligations. Nous tenons, pour le préserver, à ne pas en changer les composantes... dont l'épouse de Serge qui en est une, essentielle.

Mon étonnement est trop grand pour que je cherche à le cacher :

— Vous m'avouerez que pour une infirmière, prédisposée en principe à compatir au sort des autres et à les aider, vous agissez en l'occurrence avec un sérieux égoïsme.

Marie, visiblement touchée par ma remarque, exhale un soupir navré, puis murmure en détournant son regard :

— Moins qu'il n'y paraît.
— Que voulez-vous dire ?
— Je ne peux pas vous répondre.
— Et, bien sûr, moi je ne peux pas vous demander pourquoi ?
— Non !
— Ni le demander à Serge ?
— Ça serait inutile. Il n'est pas au courant.

Bizarre ! Pour quelle raison Marie qui est en totale confiance, en toute complicité avec Serge lui a-t-elle caché quelque chose et a priori quelque chose d'important ? A tout hasard, je lance :

155

— C'est un secret médical ?

Marie se fige une seconde. C'est plus qu'il ne m'en faut pour affirmer :

— C'est donc ça !

Entre indulgence et exaspération, Marie soupire :

— Serge m'a prévenue que dans le genre « fouille-tout-partout » vous êtes championne ! Je constate qu'il ne m'a pas menti !

Je m'insurge avec le sourire :

— Il ne vous a pas dit que ce n'était pas vraiment moi, mais...

— Votre jum' ! Oui, il me l'a dit ! Et qu'elle était aussi entêtée que vous ! Et aussi perspicace !

— Ça... quelquefois, quand la chance veut bien l'aider.

Soudain le visage de Marie devient sérieux. Son ton insistant :

— Je vous conjure, aussi bien elle que vous, de bâillonner pour une fois votre curiosité.

Marie vient de me parler avec l'autorité et la force de persuasion qu'elle doit avoir dans son service... en cas de nécessité.

Je n'y résiste pas et de bonne foi, je lui promets que je ne chercherai pas à savoir ce qu'elle me cache.

Elle m'assure qu'elle me croit et m'embrasse avec reconnaissance.

Alors, prudente, j'ajoute :

— Mais je ne vous garantis pas que ma jum', elle, ne va pas quand même trouver !

# Chapitre 21

Et le mercredi suivant, j'ai su.

Sans le concours de ma jum'.

Sans l'intervention d'une quelconque pythie.

Sans impulsion divine.

J'ai su tout bêtement par la presse. Enfin... par un magazine réputé pour son tiercé gagnant : « Potins-ragots-rumeurs ». Un de ceux que l'on prétend ne jamais acheter et dont tout le monde se répète les informations inédites, souvent médisantes, rarement calomnieuses. Moi, je ne l'achète pas ! Ah non ! J'y suis abonnée. Mes amis me le reprochent... et me demandent régulièrement ce qu'il y a dans mon « torchon ».

Eh bien, ce mercredi-là, j'y lis un articulet concernant Patrice Durtal, le fiancé potentiel de Nadine Vollard. Son titre, on ne peut plus explicite : « Patrice Durtal : PD pour les intimes ! »

Pour ma part, je n'avais jamais remarqué que les initiales de ce nom pouvaient être sujettes à plaisanterie. Et en plus, jamais imaginé qu'elles pouvaient refléter une vérité. Le journaliste, lui, n'en doutait pas. Il écrivait sur le ton badin épicé : « Clin d'œil du destin : Patrice D. a ramené dans le droit chemin... du Larzac, pour veiller sur ses ruches, un jeune artiste qu'il a connu il y a quelques années chez Michou, chantant en fourreau à rayures d'abeille, jaunes et noires, une chanson de la Belle Epoque : " Elle n'est pas folle la guêpe ! " Ainsi, le voici à la fois débatteur choc sur les bancs de l'Assemblée ; apiculteur chic sur le plateau du Larzac ; papa (chut !) d'un bambin de six mois et enfin parrain (chou !) d'un grand garçon de vingt-cinq ans ! Toutes nos félicitations à Patrice Durtal pour cet inédit cumul de mandats. Un de ses confrères n'a pas manqué de le souligner, dans une phrase qui s'est répandue aussitôt dans l'hémicycle comme une traînée de poudre : " Moi je ne suis qu'un modeste député-maire, tandis que ce veinard de Durtal, il est en même temps député-père et député-tante ! " »

Je pose le journal. J'essaye de me mettre à la place de Nadine Vollard, qui d'une façon ou d'une autre va prendre connaissance de cet article. Je sais bien — et je m'en réjouis — que l'homosexualité, admise, légalisée, banalisée, ne constitue plus un handicap professionnel ou social. N'empêche que pour une femme, devenir l'épouse d'un gay officiel, cohabiter avec son minet, n'être là que pour élever son rejeton, lui servir d'alibi vis-à-vis des anciens bien-pensants devenus mal-pensants... ce n'est quand même pas très réjouissant ! Sans compter que sexuellement parlant, cela risque de poser des problèmes. D'absentéisme ou de déviationnisme !

Tout bien réfléchi, moi, à la place de Nadine, je resterais « gérante de vie ». La mort dans l'âme et surtout la rage au cœur, c'est à cette décision que l'épouse de Serge s'est résignée. Paule me l'apprend par téléphone en début d'après-midi :

— Je viens de déjeuner avec Nadine. Plutôt à côté d'elle. Elle n'a rien avalé. Tellement elle est en colère. D'abord contre ce fumier qui lui a joué la comédie du grand amour, mais aussi contre elle, cette andouille, qui a foncé dans le panneau, tête baissée.

— Elle n'a pas eu le moindre soupçon ?

— Comment veux-tu ? Un mec avec un môme ! On ne se méfie pas. On s'attendrit. On veut lui prouver qu'il est tombé sur une salope qui n'avait pas l'instinct maternel, mais qu'il y a d'autres femmes, douces, gentilles, qui fondent devant un bébé gazouillant et un père pleurnichant. Ou le contraire : un bébé pleurnichant et un père gazouillant. Et hop ! Une couche-culotte, un bouquet de fleurs et ni vu ni connu j't'embrouille !

— Quand même, elle est naïve, Nadine ! Dans le Larzac, la présence d'un jeune frelon froufroutant, ça ne lui a pas mis la puce à l'oreille ?

— Mais qu'est-ce que tu crois ? Tu retardes ! Il ne froufroute pas du tout. Il est chevelu, barbu, baraqué. Selon Nadine, beaucoup plus « bête de somme » que bête à plaisir.

— Admettons ! Mais... dans les moments d'intimité avec Durtal, elle n'a pas remarqué... un certain manque d'empressement de sa part ?

Moi je remarque que la réponse de Paule manque un peu de vivacité. Et de fermeté :

— Ben non, tu sais... ils ne vivaient pas ensemble.

— Je veux bien, mais si peu que ce soit, il lui est arrivé forcément de se retrouver dans un lit avec son « élu » doublement élu. Et elle ne t'a pas dit si...

— Rien ! Elle ne m'a rien dit. Elle est pudique. Elle ne parle jamais de ce genre de choses.

Je n'ai pas le temps d'insister. Ma filleule enchaîne déjà :

— A la vérité, elle m'a surtout parlé de Serge. Elle est malade à l'idée de l'affronter. Je la comprends un peu. Elle n'a pas le beau rôle. Elle l'a tellement bassiné pour qu'ils divorcent, pour qu'elle puisse vivre son amour tant attendu, pour qu'elle découvre les joies de la maternité... Ah! Il va pouvoir pavoiser! Et ironiser un max sur son pédé de campagne!

— Pas forcément : il va être tellement content de récupérer sa « gérante de vie ». Et puis, il ne va peut-être pas être au courant de cette histoire.

— Il l'est.

— Comment le sais-tu?

— Par Gilles. Il lui a téléphoné ce matin pour lui lire l'article... entre deux éclats de rire!

Aïe! J'entends d'ici les plaisanteries des deux mâles triomphants!

Je crains que Serge ne résiste pas à la tentation de les répéter à sa femme déjà blessée dans son amour et dans son amour-propre.

Mais j'ai tort. Enfin... pas tout à fait. Serge me téléphone. Il commence, en mari compatissant, par me recommander la plus grande discrétion sur l'épreuve que traverse actuellement sa femme; après quoi, en ami attentionné, il me confie qu'il a appris des « détails croustillants » sur les us et pratiques de Durtal; enfin, en affreux jojo, il termine en me conseillant, au cas où cela m'intéresserait, de m'adresser à Victoria, très au courant de cette affaire et qui se fera un plaisir de me renseigner.

— Pourquoi Victoria? Pourquoi pas vous?

— Parce que les femmes... en général sont beaucoup moins pudiques que les hommes... en général, me répond Serge avec des velléités de provocation.

Il en est pour ses frais. Je ne me récrie pas : par expérience, je sais que certaines de mes congénères sont capables de déballer des horreurs sans la moindre gêne et par intuition, j'ai l'impression que Victoria peut à l'occasion être de celles-là.

De toute façon, je tiens là un bon prétexte pour rompre son long silence et savoir enfin si « elle nous fait encore une crise » comme l'a diagnostiqué ma filleule. Néanmoins, avant de me parachuter sur ce terrain à risques, j'interroge prudemment Serge sur la météo du couple Gilles-Victoria.

— Ils sont en pleine zone de turbulences, me répond-il.

— Il y a longtemps ?

— Plus d'un mois. Exactement depuis le 1er mai. A cause d'une histoire idiote.

— Qui est le fautif ?

— Comme toujours, le dieu Hasard. Mal luné ce jour-là.

En effet ! Il a fallu qu'il le soit particulièrement en cette aube de la Saint-Bonheur pour :

Premièrement : que le fleuriste attitré de Gilles engage pour la circonstance un jeune apprenti, consciencieux et soucieux de se maintenir dans la place.

Deuxièmement : que le jeune apprenti renverse quelques gouttes d'eau sur les enveloppes qu'il devait agrafer à la Cellophane des deux compositions florales que Gilles avait commandées la veille au soir : l'une pour Paule, l'autre pour Victoria.

Troisièmement : que le jeune apprenti, constatant les bavures provoquées par sa maladresse sur les enveloppes, veuille changer celles-ci et donc en retirer les cartes qu'elles contenaient.

Quatrièmement : que le jeune apprenti recopie le nom et les adresses des deux destinataires sur deux enveloppes immaculées, puis que, tout content d'avoir réparé sa petite bêtise, il en commette une grosse en glissant la carte écrite pour Paule dans l'enveloppe de Victoria. Et bien sûr, vice versa !

161

*Le cœur à deux places*

C'est ainsi que vers 10 heures du matin, Victoria, émerveillée, reçut la superbe jatte où alternaient les muguets porte-bonheur et les myosotis incitant à se souvenir. Elle était encore en train de s'attendrir sur la juvénilité de ces symboles, quand, furibonde, elle lut sur la carte d'accompagnement : « Beaucoup de bonheur, ma petite Paule, pour toi et pour les enfants. » Ce n'était pas signé : « Ton Gilles pour la vie »... mais ce fut comme si elle l'avait lu !

Un quart d'heure plus tard, Paule recevait (moins émerveillée que Victoria parce que depuis son mariage elle en avait déjà reçu dix-neuf !) elle recevait donc la même superbe jatte de muguets-myosotis, et découvrait un peu étonnée sur la carte d'accompagnement un dessin très touchant de Gilles, représentant un modeste pot en verre garni de brins de muguet dont les clochettes étaient des cœurs. Dessous, une phrase de Mme de Staël : « Le bonheur, cette chose qui n'existe pas et qui pourtant un jour n'est plus. »

Paule a chaleureusement remercié Gilles pour son envoi personnalisé avec tant de délicatesse par la phrase de cette dame, dont elle se proposait de lire « les bouquins » !

Le sang de Gilles ne fit qu'un tour. Celui de Victoria en avait déjà fait au moins trois ! Il s'en rendit compte en l'entendant quelques minutes plus tard au bout de son portable. Elle lui apprit qu'elle avait vérifié auprès du fleuriste que les « deux commandes de M. de La Rivandière étaient bien rigoureusement identiques » et le gratifia d'une double ration d'insultes. Après quoi, elle le somma de lui apporter en début d'après-midi, à la répétition du hope-show avec les QM, la carte qu'il avait sûrement jointe à son « cadeau d'entreprise » et dont sa femme avait bénéficié !

— Si vous les aviez vus arriver à la répétition..., me dit Serge, on aurait juré Hermione et Pyrrhus ! Elle m'a salué de loin, douloureuse comme à un enterrement ! Lui, ennuyé mais sobre, est venu m'expliquer ce qui s'était passé.

— Vous étiez seul ?

— Mais non ! Tous ceux qui participent au spectacle étaient là : les QM et leurs accompagnateurs. Elle les a regroupés et — tenez-vous bien ! — elle a eu le culot de leur dire « qu'elle venait de perdre brutalement un être très cher »...

— Pauvre Gilles !

— Attendez ! Elle les a rassurés sur son sort, affirmant qu'elle était pour le moment en état de choc, mais que ça ne durerait pas. Forcément, puisque rien ne durait !

— Eh ben...

— Comme vous dites ! Moi, à la place de Gilles, je lui aurais retourné une belle paire de gifles !

— Et lui qu'est-ce qu'il a fait ?

— Rien. Il a attendu que ça passe.

— Et c'est passé ?

— Plus ou moins. Plus de bas. Moins de hauts. Ils vivent un peu en armistice... armé. Si vous voyez ce que je veux dire...

— Très bien ! C'est très déplaisant comme situation. Pour tout le monde.

— Ça risque surtout d'être très destructeur pour eux. Et à mon avis, plus pour elle que pour lui.

— Pourquoi vous n'essayez pas d'intervenir ?

— Pour trois raisons.

Miracle ! Serge me les donne, sans que j'aie à le lui demander.

Première raison : il est amoureux. Donc égoïste. Il est navré des dissonances entre Victoria et Gilles mais... il est tellement heureux de l'harmonie qui règne entre Marie et lui... Tous les matins il décide de jouer les conciliateurs... et tous les soirs, il oublie !

Deuxième raison : il n'intervient pas auprès de Victoria par intérêt artistique et humanitaire. Par peur de compromettre l'ambiance chaleureuse qui règne au sein de la troupe du hope-show dont elle est l'indispensable moteur. Il craint avec sa mise en garde de déclencher chez Victoria une mauvaise humeur qui serait très préjudiciable au spectacle des QM. Ou carrément une colère qui déboucherait sur un abandon.

Troisième raison...

Serge me l'annonce, comme en fait la vraie raison et la seule valable. Il me la laisse attendre encore quelques secondes puis me l'offre, comme une récompense à une bonne élève :

— Je n'ai pas parlé à Victoria... parce que je pense que vous lui en parlerez beaucoup mieux que moi !

— Alors ça... c'est la meilleure !

— Je suis ravi que vous soyez de mon avis !

# Chapitre 22

Depuis longtemps je rêve des petits déjeuners officiels qui réunissent autour de problèmes importants des hommes politiques ou des hommes d'affaires. Je les imagine, discutant des intérêts de leur pays ou de leur compte en banque personnel entre tasses en porcelaine et cafetière en argent; entre croissants moelleux et toasts grillés. Ça me semble d'un chic...

Eh bien, aujourd'hui c'est moi qui participe à un petit déjeuner-colloque... Mais d'un tout autre style. Il a lieu dans ma cuisine, entre des bols bretons à anse et une machine à expresso; entre un assortiment de Craquottes et un paquet de céréales. Il a été décidé hier soir par téléphone et j'y assiste, comme mon hôte, en jogging. Evidemment, c'est beaucoup moins chic, mais plus rigolo. La conversation est allègre et mon interlocuteur, Victoria, est décontracté. Du moins en cet instant où elle finit de me raconter l'histoire comico-dramatique de Patrice Durtal. Laquelle lui a été rapportée par celui-là même qui a servi d'informateur au journaliste responsable de l'article sur le député apiculteur : un de ses vieux copains qu'elle a surnommé « Filochard », pour la simple raison que, ludion sympathique, bon à rien-bon à tout, il se faufile n'importe où. C'est ainsi qu'il s'est faufilé au service des urgences

de l'hôpital parisien où Durtal, soutenu par son
« secrétaire », venait d'être admis dans un piteux état.
Si piteux qu'on le dirigea très vite vers le service de
proctologie, service spécialisé (comme on n'est pas
forcé de le savoir) dans les maladies du rectum. De
celui douloureux de Patrice Durtal, le chirurgien eut la
surprise (et pourtant il en avait vu d'autres !) d'extraire
un hochet en Celluloïd qui y avait éclaté. « Sous l'effet
d'une pression trop forte », prétendait Filochard. « A
cause de la mauvaise qualité du hochet », soutenait
Victoria. L'un et l'autre sans preuve, bien entendu.

Bien entendu aussi, cette histoire s'est transmise de
masques bleus en blouses blanches, de personnel soi-
gnant en personnel administrant, d'hôpital en hôpital.
Elle a fini par tomber dans l'oreille de Marie Lesage
qui, respectueuse du secret médical, ne l'a répétée à
personne. Pas même à Serge... qui, lui, l'a su par Victoria... qui achève de me la raconter, en ajoutant pour
conclure :

— J'espère que tu ne vas pas mettre ça dans un
livre !

De bonne foi, je hausse les épaules. Je crois même
avoir ajouté :

— Comment veux-tu ? J'en serais bien incapable !

Et puis, profitant de l'humeur diserte de Victoria, je
poursuis mes investigations sur celui qui est déjà étiqueté dans ma mémoire « l'homme au hochet » :

— Comment diable Durtal a-t-il pu s'y prendre
pour que Nadine, dans l'intimité, ne s'aperçoive pas
qu'il était homo ?

— D'abord, me répond gaillardement Victoria,
parce que les sex-toys ce n'est pas fait pour les chiens !

Je m'ébahis. Elle se reprend :

— Encore que... ils y trouveraient leur compte !

Je reste bouche bée. Pas Victoria. Elle enchaîne :

— Ensuite, Durtal n'est pas exclusivement homo puisqu'il a eu un mouflet.

— Bien sûr...

— Il est bi... Comme Mme de La Rivandière !

Ça y est ! Victoria a trouvé le moyen de lâcher le nom qu'elle avait sur le bout du cœur. Paule, véritable objet de notre rencontre matinale, vient d'entrer dans notre conversation et s'y installe :

— Il y a longtemps que tu as vu ta filleule ?

— Exactement le 28 mai, chez notre coiffeur commun. Elle était avec la femme de Serge.

— Elle t'a parlé de moi ? Enfin, de Gilles et moi ?

— Vaguement. J'ai cru comprendre que vous aviez un léger problème et par la suite, Serge m'en a précisé la cause... et la date ! Mais depuis ce 1er mai malencontreux, je pense que...

— Le léger problème a fait des petits.

— Graves ?

— Urticants ! Je n'arrive pas à digérer le coup du muguet.

— Enfin, Victoria, c'est ridicule. Ce n'est pas la faute de Gilles si le jeune apprenti du fleuriste s'est trompé d'enveloppe et si tu n'as pas eu la carte qui t'était destinée.

— Non ! Ce qui est sa faute, c'est d'avoir écrit « ma petite Paule » à une femme qui est censée n'être dans sa vie qu'une potiche, une figurante comme Nadine l'est dans la vie de Serge.

— Elles sont autre chose que ça. Et Marie Lesage a trouvé pour les désigner un terme, à mon avis, plus juste. Elle dit que ce sont des « gérantes de vie ».

— Je veux bien ! Mais ça ne justifie pas le « ma petite Paule ».

— Cette appellation anodine ne justifie pas, elle, ta colère.

— Il n'y a pas que ça pour la justifier.

— Quoi d'autre?

— Les deux bouquets choisis strictement identiques pour deux femmes qui a priori devraient lui inspirer des sentiments strictement... dépareillés! Nous mettre sa femme et moi sous la même Cellophane, ça revient à nous mettre dans le même panier! Et ça, je ne le supporte pas! Je veux *mon* panier à moi, *mes* fleurs à moi!

— Tu es vraiment possessive!

— Oui et alors? Possessive. Entière. Exigeante. C'est même pour ça qu'il prétend m'aimer.

— Mais il t'aime.

— Oui... comme l'autre!

Allons bon! Voilà Paule devenue « l'autre » pour Victoria comme elle-même, il n'y a guère, est devenue « l'autre » pour Paule. Qu'à cela ne tienne, je m'adapte :

— Non, justement, Gilles ne t'aime pas comme « l'autre »!

— Alors il fallait qu'il le dise... avec ses fleurs. Que je voie la différence.

— Mais comment?

— Ben, par exemple, il fallait qu'il m'envoie la veille ou le lendemain des zinnias, des nénuphars ou des giroflées, n'importe quoi mais pas les mêmes clochettes qu'à « l'autre », le même jour que « l'autre »!

Je retrouve Victoria dans un de ses numéros de transformisme caractériel qui me surprennent toujours. Il y a cinq minutes, j'avais devant moi un clown à la truculence décoiffante. A présent j'ai une pasionaria à l'agressivité abusive. Oui... abusive. Je me risque à le lui dire et essaye de l'en convaincre en caricaturant ses excès verbaux, vocaux, gestuels. L'artiste qui sommeille en elle a l'indulgence de sourire. L'amoureuse capitule. Mais c'est moi qu'elle désarme avec cet aveu spontané et dépouillé de tout artifice :

— Je suis malheureuse.

Que répondre ?

Première suggestion :

— Pense que ça pourrait être pire. Bien pire.

Réponse prévisible :

— Moi je pense que ça pourrait être mieux. Tellement mieux.

Deuxième suggestion .

— Relativise ! Regarde autour de toi, loin et près, tous les malheurs et les misères du monde.

Réponse prévisible :

— Quand on souffre... le monde on n'en a rien à cirer !

Troisième suggestion :

— Il y a toujours un endroit et un moment où la pluie cesse. Patiente.

Réponse prévisible :

— D'accord ! Mais où ? Mais quand ?

Bien que peu convaincue de l'efficacité de mes arguments, je m'apprête à risquer le premier quand brusquement Victoria me prend de vitesse :

— Ne t'inquiète pas pour moi : jusqu'au 14 Juillet, avec le hope-show qui me passionne, je ne vais pas avoir une seconde pour pleurer.

— Et après ?

Victoria plonge dans son énorme besace qui ne la quitte pas, en sort son non moins énorme agenda, fait semblant de le feuilleter à toute vitesse et d'y lire son emploi du temps.

— Jusqu'au 31 juillet, rien à craindre ! Travail. Sport. QM. Travail. Sport. QM. Travail... Aucune larme n'est inscrite à mon programme.

— Et à partir du 31 juillet ?

— Vacances en deux épisodes. Le premier, du 1$^{er}$ au 15 août... inclus (à cause de l'anniversaire de ta filleule et de celui de son mariage), seule dans le Poitou, chez M. Rondeau. Et du 16 au 30 août, avec Gilles à Dubaï.

Je dénonce en souriant le tour de passe-passe de Victoria :

— Qui est M. Rondeau ?

— Tu ne connais pas. Personne ne connaît. Même Filochard ne réussirait pas à l'identifier. Ni à savoir où il est.

— Il ne serait pas un peu mythique, par hasard ?

— Ah ça, pas du tout ! Il existe. Il est merveilleusement vivant. Je te le présenterai, si tu veux. Il serait ravi de te rencontrer. Il est très accueillant. Mais d'un accès difficile... Uniquement par des chemins de terre !

J'immobilise les poignets de Victoria. Je mobilise son regard.

— Qu'est-ce que tu vas faire dans le Poitou ?

Œil dans œil, sourire contre sourire, elle me répond :

— Des randonnées !

# Chapitre 23

M. Rondeau a très vite été chassé de ma tête par Arnaud de La Rivandière, le fils de. Il a été recalé à son bac philo.

Selon lui, vexé, pour cause de sujet nul et d'examinateur taré.

Selon Agathe, sa bûcheuse de sœur, pour cause de meufs et de nanas.

Selon Gilles, son culpabilisé de père, à cause du mauvais exemple qu'il donnait à son fils, de ses absences, de son manque d'autorité.

Selon Paule, sa « magazinivore » de mère, pour cause de désordre psychologique.

Selon Victoria, pragmatique, pour cause de poil dans la main ou de « pas de chance ». Ou des deux conjugués.

Paule s'est prétendue au téléphone très secouée par cette déception familiale « surtout par les remous qui en ont découlé » et a souhaité avoir avec moi sur ce sujet un briefing très cool (ce sont les termes qu'elle a employés !). Paradoxalement, elle a choisi pour me parler de l'échec de son fils un endroit où l'on respire la réussite à plein nez : la terrasse du restaurant du Racing Club.

Nous venons d'y grignoter une salade « cinq sets » à quelques encablures des terrains de tennis. A présent, nous attendons un sorbet « Manaudou », en percevant de loin dans la piscine découverte les « plouf » des plongeurs et les cris des enfants ou des ados, dont ceux sans doute d'Arnaud et d'Agathe. Entre deux phrases, nous vidons verre après verre une bouteille de cette eau minérale recommandée aux coureurs dont nous voyons passer de temps en temps quelques courageux spécimens sur la piste qui leur est réservée.

Après cette journée chaude de début juillet l'heure est douce. Ma filleule aussi. Elle dégouline d'amabilité. Elle m'a félicitée pour ma « forme éblouissante ». Elle a évité de justesse de la qualifier aussi d'étonnante ! Elle est allée jusqu'à s'informer de mes produits... miracles ! (ça, miracles, elle n'a pas évité !) et elle en a avidement noté les noms sur son agenda électronique, comme si vraiment elle en avait un urgent besoin.

Ensuite, c'est Nadine Vollard, la femme de Serge, qu'elle a inondée de ses compliments. Elle m'a vanté l'élégance de son attitude avec Patrice Durtal qui lui-même dans cette situation difficile avait effectué un parcours sans faute. En effet, il a juré à la délaissée que finalement d'une certaine façon il l'avait aimée ; que finalement, il l'aimait ; que finalement il regrettait qu'elle ne soit pas un homme ! (personne n'est parfait comme disait l'autre) ; que finalement, il espérait beaucoup la revoir. Preuve qu'il ne mentait pas : il l'a invitée à venir dans le Larzac quand elle le souhaitait, seule ou avec un compagnon digne d'elle... ou encore avec son mari, soit seul, soit avec sa nouvelle compagne.

A peine ma filleule venait-elle d'évoquer Marie Lesage, totalement inconnue d'elle, qu'elle lui a également rendu hommage indirectement, *via* Nadine. Laquelle trouve que son mari est beaucoup plus détendu, plus compréhensif depuis qu'il fréquente l'infirmière.

Vraiment ce soir avec Paule, tout le monde il est beau, tout le monde il est gentil.

Les enfants La Rivandière : Arnaud le recalé du bac mais le reçu des filles avec mention très bien et Agathe, la douée pour les études mais pas pour la joie de vivre, arrivent à notre table en même temps que nos glaces : simple coïncidence ! Ils n'ont pas faim. Ils viennent d'engloutir des sandwichs, des esquimaux, du pop-corn et des barres de chocolat ! Arrosés de sodas sucrés ! Ô perplexité des nutritionnistes ! Ô injustice des gènes ! Arnaud est à la limite — positive — de la maigreur, comme sa mère. Agathe, à la limite — négative — de l'embonpoint.

Le mince, recalé et séduisant, prend très vite congé de nous, pour rejoindre un endroit qu'il désigne par un borborygme mais que sa mère néanmoins identifie sans peine et qui visiblement ne lui plaît pas.

Aussitôt après, la replète — studieuse et ingrate — réclame son lecteur de DVD portable et à piles, ainsi que le DVD qu'elle va regarder au salon réservé à cet usage. Par pure politesse, je m'informe de son choix. Avec condescendance, elle me renseigne :

— C'est la vie de John Law.

Devant mon œil rond, elle précise :

— Ça s'écrit LAW mais ça se prononce LASS.

Ce détail réveille mes souvenirs scolaires :

— Oui, bien sûr, c'était un financier anglais.

— Ecossais, rectifie Agathe avant d'ajouter, admirative : c'est lui qui a révolutionné le monde de la banque !

Cette fois, c'est Paule qui répond à mon œil de plus en plus rond :

— Agathe a toujours eu le goût et le sens des affaires... comme son père !

— A propos, enchaîne Agathe, tu peux me refiler 2 euros pour Vanessa ?

— Pourquoi ?

— Ben, pour la location de son DVD !

— Elle ne te le prête pas ?

— Y a pas de raison ! Je ne lui prête pas les miens. On y gagne toutes les deux. C'est moins cher qu'une loc en boutique.

Après avoir pris les 2 euros dans le porte-monnaie de sa mère... en pièces de 50, 20 et 10 centimes (au cas où elle obtiendrait un rabais !), Agathe détale en recomptant sa monnaie. Paule s'extasie :

— Celle-là... il n'y a vraiment pas à s'inquiéter pour son avenir ! Elle saura se débrouiller toute seule !

La réaction de Paule est gonflée d'amertume. Sous-tendue par un regret : celui d'avoir eu besoin, elle, de quelqu'un pour se débrouiller, d'en avoir toujours besoin et d'être obligée sans arrêt à des concessions pour le garder.

C'est ce regret que je conteste en lui rappelant que...

— Tu n'as quand même pas à te plaindre.

— Non, bien sûr, mais...

Elle s'interrompt pour saluer de loin avec beaucoup de satisfaction et un rien de coquetterie un dinosaure en panama et monocle à l'œil qui lui-même venait de la saluer avec un vieux reste de coquinerie. Elle se penche vers mon oreille. M'y claironne son titre. M'y bredouille son nom : celui d'une grande famille... et d'une impasse dans le neuvième arrondissement !

Tout autour du comte « Dunom-Bredouillé » évoluent des figurants que l'on pourrait croire, à quelques détails près, sortis d'un film américain d'avant-guerre. On s'étonnerait à peine, en tout cas moi, que soudain ils se mettent à danser sur une musique de Cole Porter. Ils sont presque tous bronzés, presque tous souriants, presque tous distingués. A ces images que d'aucuns qualifieraient de surréalistes, je superpose celles beaucoup plus rustiques parmi lesquelles Paule est née et a grandi. Dans un esprit de conciliation, je montre à Paule le spectacle — car pour moi c'en est un — qui est devant nous et je reprends le fil de la conversation rompu par le comte « Dunom-Bredouillé ».

— Tu m'avoueras qu'entre ça et les pochetrons de la Trinquette, il y a un sacré bout de chemin... et que tu l'as parcouru plutôt vite et plutôt bien.

— Tu parles comme maman.

— Et pour cause !

— Vous ne pouvez pas comprendre : vous ne vivez pas ma vie au quotidien.

— Excuse-moi, mais comme résidence, vos six pièces de la plaine Monceau c'est plus agréable que ta chambre au-dessus du bistrot... et comme patron, Gilles est plus accommodant et plus généreux que le père Augustin.

— N'empêche qu'Augustin, lui, n'aurait jamais renvoyé ma mère sous aucun prétexte, tandis que Gilles peut me congédier du jour au lendemain.

— Avec indemnités !

— Minimales. Je te l'ai déjà expliqué.

— Oui, je sais, et avec (ce qui te chagrine presque plus) la suppression de tes avantages sociaux.

— Qui ont, entre parenthèses, déjà beaucoup diminué... forcément ! « L'autre » est tellement présente dans la vie de Gilles que ce n'est plus moi, mais elle qui bénéficie de ses relations, de ses invitations... de tous ses privilèges, quoi !

— Tu crois qu'elle en use souvent ?

— Non ! Mais moi, je n'en profite plus jamais !

— Il te reste quand même des conditions d'existence que l'immense majorité des femmes t'envierait... et t'envie, ne l'oublie pas !

— Oh! je n'oublie pas! Je ne suis pas folle! Je suis parfaitement consciente qu'en dehors de « l'autre » il y a un paquet d'intrigantes qui lorgnent ma place, ce qui la rend très inconfortable, crois-moi! Je suis sur un siège doré, soit, mais éjectable. De plus en plus éjectable!

— Pourquoi de plus en plus?

— Parce que je peux de moins en moins compter sur les enfants pour retenir Gilles : Agathe a treize ans et, indépendante comme elle est, je ne peux absolument pas compter sur elle comme alliée... surtout contre son père. Quant à Arnaud, lui, il est majeur et s'est installé dans le studio de maman.

— Tu veux parler du deux pièces dans la cour?

— Oui... que son père a fait insonoriser... à prix d'or! Officiellement pour lui permettre de grattouiller sur sa guitare à toute heure du jour et de la nuit, et officieusement, bien sûr, pour s'attirer ses bonnes grâces.

— Surtout, je suppose, pour compenser ses manques. Pour se déculpabiliser.

— Penses-tu! Le studio et la sono, tu sais sur quoi ça a débouché?

— Non!

— Sur le hope-show!

— De quelle façon?

— C'est là où il est parti tout à l'heure. Les répétitions le passionnent et il trouve Victoria « vachement sympa »!

— Je comprends que ça ne soit pas... agréable à entendre mais en toute objectivité, ce n'est pas faux.

Paule le reconnaît... en toute objectivité. C'est pourquoi elle a peur pour son avenir : avec un fils et une fille ralliés à la cause de leur père; et une « suppléante » comme Victoria, disposant sur Gilles d'un

pouvoir multiforme et — qui plus est — peu atta-
quable, il est certain que Paule risque de perdre sa
place et d'être obligée d'en chercher une autre, dans
un domaine où, comme dans les autres, la quarantaine
ne constitue pas un avantage.

Allons bon ! Voilà ma jum' qui profite d'un blanc
dans la conversation pour rappliquer : elle extrapole,
elle satirise la situation. Elle imagine toutes les
« gérantes de vie », comme Paule, descendant dans la
rue, bannières au poing, pour revendiquer « la garantie de l'emploi » ou des indemnités compensatoires ou
encore le maintien des congés annuels.

Ah ben tiens ! Une fois de plus, la réalité rejoint la
fiction : Paule s'inquiète pour ses vacances. Elle me
rappelle que selon ses accords avec Gilles, le mois de
juillet devait lui être consacré, à elle et aux enfants. Le
mois d'août étant réservé à Victoria — à l'exclusion du
15 pour cause d'anniversaires. Or, cette année, exceptionnellement, à l'issue de négociations difficiles avec
son mari, Paule m'apprend que :

— A cause de ce fichu hope-show, dont Gilles
s'occupe toute la journée pendant que Victoria travaille avec Serge, je lui ai laissé sa liberté jusqu'au
15 juillet.

— De toute façon, il l'aurait prise.

— Oui, mais c'était mieux d'avoir l'air de lui faire
une concession. Ça m'a permis d'exiger en compensation qu'il parte avec moi du 1er au 15 août — inclus.
En croisière. Autour des fjords scandinaves : j'adore
les croisières. Il adore les fjords. C'était consensuel,
non ?

J'approuve. D'autant plus volontiers que Victoria
m'a dit que pendant cette période elle serait dans le
Poitou chez son mystérieux M. Rondeau. Malheureusement, il y a du changement :

— Gilles a annulé les réservations pour la croisière.

— Pour quelle raison ?

— Impossible de le savoir !

Avec une franchise désarmante, Paule ajoute :

— C'est pourquoi d'ailleurs je voulais te voir car je pense que toi, tu pourrais lui tirer les vers du nez !

— A Gilles ?

— Ou à Victoria si tu préfères... maintenant que tu la connais.

J'essaye de me défiler :

— Je ne la connais pas... je ne l'ai vue qu'une seule fois... sur ta demande.

— Justement, cette fois-là a eu un résultat très positif : après ton intervention, Gilles a été beaucoup plus relax avec moi. Donc Victoria, beaucoup moins exigeante avec lui.

— Alors..

De nouveau, ma jum', en douce, intervient et, comme d'habitude privée de tout esprit de sérieux, me montre la carte de visite qu'elle a imaginée pour moi : « Mme Bons-Offices. Curieuse diplômée — Médiatrice ! »

# Chapitre 24

Depuis toujours, le chagrin me laisse les yeux secs. Je ne pleure que de joie.

Ce soir, au casino de Trouville, je n'arrive pas à arrêter mes larmes. Pendant toute la représentation du hope-show, je n'ai cessé de les retenir, derrière mes lèvres mordues, au fond de ma gorge serrée. Et puis, tout à coup, au dernier salut des artistes, au dernier « bravo » du dernier spectateur, elles ont brisé les barrages. Elles débordent. Mes larmes s'en donnent à cœur joie !

En coulisses, elles collent aux joues des QM que j'étreins, que j'embrasse, faute de pouvoir leur dire mon admiration autant pour leur courage que pour leur talent ; elles coulent sur les mains de leur partenaire-entraîneur, que je serre de toute la force de mon enthousiasme ; sur la main gauche — la seule qui lui reste — de M. Millet, le président fondateur de l'association, son âme aussi ; sur l'épaule de Serge, exceptionnellement en panne de fossettes et d'ironie ; sur l'épaule de Marie en instance de réanimation ; enfin, dans les bras de Victoria, au centre du bloc compact qu'elle forme avec Gilles d'un côté et Arnaud de l'autre.

Victoria et moi nous sanglotons. Gilles renifle. Arnaud se paye notre tête... en parlant un peu trop fort et pas très juste... Au moins a-t-il le mérite de réveiller notre sens du ridicule : nous éclatons de rire en cascade et enfin justifions notre émotion. La mienne est avant tout celle d'une spectatrice qui vient d'assister à un vrai spectacle de variétés en oubliant que ses participants — Jongleurs. Chanteurs. Prestidigitateurs. Musiciens. Marionnettistes — étaient pour la plupart des handicapés, associant courage et créativité, talents visibles et efforts invisibles. Tous les artistes le savent — à quelque hauteur et dans quelque discipline qu'ils exercent leur art —, plus le combat est dur, plus la victoire est belle !

Cette émotion-là, je l'ai partagée avec la salle entière. Mais il s'en est ajouté une qui ne pouvait appartenir qu'à moi : une surprise qui m'a scotchée à mon fauteuil et sur laquelle à présent les trois responsables m'interrogent avidement :

— *Vraiment*, tu ne te souvenais pas de m'avoir montré ce texte un jour ? me demande Victoria.

— *Vraiment*, personne n'a vendu la mèche si peu que ce soit ? me demande Gilles.

— *Vraiment*, ça t'a plu ? me demande Arnaud.

Réponse aux trois questions qui viennent de m'être posées :

— Non, Victoria, je ne me rappelais pas qu'un jour j'avais sorti de mes archives à ton intention cette chanson que j'avais écrite dans ma jeunesse. En revanche, je me rappelais très bien le refrain :

Je n'aime pas les grands cœurs à deux places
Curieusement je m'y sens à l'étroit
J'aime bien mieux les cœurs à une place
Juste assez grands pour mon amour à moi.

— Non, Gilles, aucun bruit n'a filtré. Tout le monde a tenu sa langue. Je suis tombée des nues. Je ne comprenais pas.

— Oui, Arnaud, en dehors de la surprise, j'ose te dire que *ma* chanson avec *ta* musique, *ta* guitare, *ta* sono, m'a enchantée. D'abord, je suis étonnée et flattée qu'un garçon de ton âge ait pu être inspiré par mes paroles. Ensuite, je pense que ta voix est « accrochante »... d'après le peu que j'en ai perçu sous celle de Victoria. Mais en tout cas, je suis sûre que tes yeux... prennent très bien la lumière !

Arnaud rougit et se tortille en dénonçant, l'œil en vrille, son père et Victoria, ses deux bourreaux qui l'ont forcé à travailler :

— Y m'ont fait chier, tu peux pas savoir ! C'était jamais bien. Ah, j'en ai entendu : « T'as l'air d'un manche à balai ! D'un ver de terre ! D'une araignée ! C'est pas possible, tu t'prends pour Prince ! », de quoi vraiment complexer n'importe quel être normal. Ça va que je ne le suis pas, mais quand même...

J'applaudis son numéro de forçat. Les deux tortionnaires rient de bon cœur. Arnaud nous embrasse. On est éblouis ! Non pas par ses baisers mais par des flashes qui nous mitraillent. Nous tournons la tête dans leur direction. Nous découvrons une ravissante mondialiste avec des yeux d'Asiate, un sourire à la blancheur africaine et une poitrine hollywoodienne. En plus, elle s'écrie avec l'accent d'un jeunisme bien de chez nous : « C'était génial ! »

— Wahoo ! Ma première admiratrice ! hurle Arnaud qui s'est approprié le compliment et qui maintenant lance à la photographe le cri de ralliement universel : « C'est génial ! » et y ajoute le tutoiement générationnel :

— Tu vas me porter bonheur ! Je te quitte plus !

Ce disant, il a poussé vers la sortie la créature, pas même étonnée et déjà gloussante, en prévenant son père, déjà complice et pas encore envieux, qu'il le rejoindrait dans une heure chez Hélène Vollard... ou alors qu'il lui téléphonerait !

Il lui a téléphoné. Il était en boîte. Ouais... avec son admiratrice... et puis d'autres ! Pour dormir ? Ça dépendrait. Ah non ! Sûrement pas au manoir ! Mais pas de problème ! De toute façon il avait un point de chute. Salut !

Nous bavardions Victoria et moi avec Gilles quand Arnaud a appelé son père. Nous avons compris l'essentiel de leur très courte conversation. Victoria, amusée, la commente :

— Quelle chance il a d'avoir cette liberté ! Moi qui ai passé mon adolescence coincée dans les couloirs d'ambassade entre les interdits de ma mère et ceux du protocole... ça me fascine !

La mère que je suis met un bémol :

— S'il s'agissait d'un enfant dont tu as la responsabilité, tu penserais sans doute autrement.

Gilles m'approuve. Il s'avoue depuis ce coup de téléphone pas vraiment inquiet, non ! Mais... mais...

— Qu'est-ce que ça peut bien être, ce point de chute dont il m'a parlé ?

Victoria lui répond comme une évidence :

— Ben, « la crèche » !

Pour moi, elle explique :

— C'est le local que la municipalité a mis à la disposition de toute la troupe du hope-show.

Gilles s'étonne :

— Je croyais que toutes les chambres étaient occupées.

— Oui, mais il y a un occupant qui accepterait, le cas échéant, de partager la sienne avec Arnaud.

Gilles ne s'étonne plus. Il a deviné le nom du saint Martin des draps et le prononce sans enthousiasme :

— Tanguy ?

— Oui, répond Victoria qui, devançant la curiosité de Gilles, ajoute :

— C'est moi qui le lui ai demandé... au cas où....

Entre le regard provocateur de Victoria et celui agacé de Gilles, un ange passe. J'essaye de le détourner, en remettant la conversation sur le spectacle. Je m'informe comment et par qui les diverses interventions des marionnettes ont été conçues. Gilles se précipite pour me répondre :

— C'est Serge qui a écrit tous nos sketches.

Victoria, elle, s'empresse d'ajouter :

— Sur des idées de Tanguy ou d'après les marionnettes qu'il imaginait et fabriquait bien entendu.

J'apprécie d'un hochement de tête et par une banalité évidente :

— Il a vraiment beaucoup de talent.

— Au singulier comme au pluriel : du talent et des talents, précise Victoria avec un sourire, lui, imprécis, avant de « mourir de soif » et de se diriger, séance tenante, vers le buffet dressé dans le jardin du Point d'Orgue. Un peu désarçonnée je m'apprête à la suivre, mais Gilles me retient par le bras.

— Elle vous a parlé de Tanguy ?

— A quel propos ?

— Des vacances qu'elle va passer avec lui du 1ᵉʳ au 16 août.

Je suis tellement surprise que je ne pense même pas à mentir.

— Non ! Elle m'a dit que dans la première quinzaine d'août elle allait chez un certain M. Rondeau dans le Poitou.

— Eh bien, c'est le grand-père maternel de Tanguy.

— Ah ! j'ignorais.

— Moi aussi. Je l'ai appris incidemment par le président de l'association... à cause du plaid en cachemire qu'il a dans son bureau.

— Quel rapport ?

— Le grand-père de Tanguy est un éleveur de ces « chèvres de luxe » dont les poils servent à la fabrication d'un cachemire particulièrement douillet.

— Ah ! c'est amusant, dis-je sans enthousiasme excessif.

— Oui... mais de là à préférer les sentiers à biquettes à n'importe quel endroit paradisiaque où je voulais l'emmener, c'est quand même bizarre, non ?

— De la part de Victoria, pas tellement. Elle aime la nature et elle a choisi la montagne pour...

— Non. Elle aime les complications et elle a choisi Tanguy pour m'emmerder !

C'est bien la première fois que j'entends sortir de ses gonds Gilles le conciliant, l'adepte pratiquant du « surtout pas de vagues ». Il vient d'illustrer parfaitement l'expression « péter les plombs ». Je vais essayer de rétablir le courant :

— Que Tanguy soit amoureux de Victoria, ce n'est pas une nouveauté. C'est vous-même qui me l'avez dit, lors de son accident de moto : vous étiez sûr qu'il ferait tout pour la sortir du coma, vous qui êtes allé le chercher pour l'amener jusqu'à elle et lui déléguer en quelque sorte vos pouvoirs.

Les plombs de Gilles ne sont que très partiellement réparés :

— Je sais tout cela ! Ce n'est pas lui que j'accuse. C'est elle.

— Vous l'accusez de quoi ?

— De vouloir me rendre jaloux.

— De Tanguy ?

— Evidemment ! A moins... à moins... qu'elle ne soit réellement tombée amoureuse de lui.

— Amoureuse ?

— Ça serait logique : d'abord, il lui a sauvé la vie ; ensuite, elle l'admirait déjà en tant qu'homme. Mainte-

184

nant elle l'admire en tant qu'artiste. En plus, il a une belle tête.

— Et un beau corps... qui s'arrête à la taille ! Et vous êtes bien placé pour savoir que Victoria ne s'en contenterait pas.

— Avec les femmes on ne peut jamais savoir : leurs histoires de cœur peuvent être aussi fortes que leurs histoires de fesses !

Je me tais... distraite par une question qui m'est passée par la tête. Gilles se méprend sur mon silence :

— Je vous ai choquée ?

— Du tout ! Je me demandais simplement si les hommes étaient, eux aussi, capables d'une semblable parité, disons entre leurs sentiments et leur sexualité.

— Mes congénères ? Je n'en sais rien. Mais moi, en tout cas, j'ai découvert la totale... pour la première fois avec Victoria !

— Elle aussi.

— Elle vous l'a dit ?

— Pas avec des mots. Mais avec ses yeux et des silences bavards, jusqu'à l'indiscrétion !

Cette fois, les plombs de Gilles sont réparés. La lumière est revenue sur son visage.

— Eh bien, soupire-t-il, si j'avais su ça avant, je ne me serais pas donné autant de mal !

— Pour faire quoi ?

— Pour convaincre Paule de renoncer à son projet de croisière dans les fjords... et d'accepter à la place des promenades à vélo dans l'île de Ré !

— L'île de Ré ? Pour être à côté des chèvres de M. Rondeau ?

— Voilà ! Et accessoirement, pouvoir rencontrer Victoria et lui téléphoner avec plus de facilité.

— Vous regrettez ?

— Je regrette d'avoir contrarié Paule : elle est tellement gentille ! Tellement compréhensive ! Mais je ne regrette pas d'être à portée de voiture de Victoria : je l'aime tellement !

Et moi, je ne sais tellement pas quoi répondre que je vois avec soulagement Serge fondre sur nous et nous demander de rejoindre les amis de la maison et ceux des QM regroupés autour d'un grand escogriffe qui pourrait être le fils de Frédéric Beigbeder et de la sœur de Stéphane Bern ! Il nous accueille avec un enthousiasme exagéré et se présente avec un contentement qui ne l'est pas moins :

— Cadet Rousselle avait trois maisons. Moi, j'ai trois noms, chacun correspondant à une de mes trois activités : Max Himilien, producteur de spectacles et de disques. Maxime Hilien, agent d'artistes. Maximilien, sourcier du show-biz. Je n'ai personnellement aucun talent, sauf celui de dénicher les malheureux qui, eux, en ont à revendre et que d'ailleurs je revends... à mon bénéfice bien entendu !

Serge l'interpelle avec bonne humeur :

— Cabot ! Bateleur ! Bouffon ! Arrête ton numéro ! Parle-nous de nous, il n'y a que ça qui nous intéresse !

Message reçu cinq sur cinq. Max ôte son masque... à moins qu'il ne fasse qu'en changer.

— Serge a raison. Je suis un comédien raté. Je m'en suis consolé en devenant le responsable de la réussite des autres. En tout cas de ceux qui, à mon avis, le méritent. Je ne vous le cacherai pas, à ma grande surprise, j'en ai trouvé quelques-uns ce soir, au cours de ce hope-show où notre ami Serge Vollard m'a traîné de force.

Serge l'interpelle à nouveau avec vigueur :

— Alors, tu te dépêches, oui ? On a soif !

— Tu as raison ! Moi aussi ! Tu peux commencer à remplir les verres. Dans deux minutes on les lève en l'honneur des vainqueurs de cette première étape.

Effectivement, sur le rythme accéléré d'un reporter d'une course cycliste, Maximilien nous annonce le nom de ceux qui, selon lui, ont franchi non pas la ligne d'arrivée, mais la ligne de départ.

— Sans ordre préférentiel, précise-t-il avant de lire son palmarès : Victoria. Gilles. Serge : les trois premiers piliers de ce spectacle de professionnels réalisé par des amateurs, spectacle dont je vais tirer un DVD qui sera vendu au bénéfice de l'AQM — ce qui n'exclut pas qu'il pourra servir à la promotion de certains de ses participants.

Salve d'applaudissements. Maximilien enchaîne :

— Tanguy et ses étonnantes marionnettes que je compte présenter à la rentrée dans une de ces mini-salles de théâtre qui servent de tremplin aux débutants et où, bien sûr, j'amènerai quelques décideurs susceptibles de l'engager à la télé ou au cinéma.

Jaillissement de « Hourra ! ». Maximilien enchaîne :

— Tir groupé pour les deux protégées d'Hélène Vollard, violonistes et chanteuses à qui j'ai demandé leurs mains... afin qu'elles me signent un contrat d'exclusivité !

« Wahoo » d'honneur pour les deux jeunes handicapées trouvillaises. Maximilien enchaîne :

— Dernier tir groupé concernant : Arnaud de La Rivandière... beau, beau, beau... et bon à la fois ! Victoria Vitto, qui l'a « drivé », soutenu et rudoyé ! Enfin, la jeune débutante qui a écrit « Le cœur à deux places », chanson qui va donner lieu à un clip, interprété évidemment par Arnaud, la star de demain, et tourné par ?... par ?... son père !

Un cri étouffé de Gilles, qui tombe des nues... et rebondit sur un nuage.

Une larme refoulée — une de plus — de moi bien entendu, aussi surprise et heureuse que Gilles.

Ovation disproportionnée. Maximilien enchaîne :

— Palmarès terminé ! Toast exigé ! A vos verres...
Prêts ? Partez !

La moitié normande de mes gènes s'empare avec
bonheur du verre de cidre frappé que Serge me tend.
Je vais de l'un à l'autre : je trinque. Je bois. Je trinque.
Je bois. Je trinque. Je bois. Chacun en fait autant.
L'atmosphère devient chaleureuse. Moi, euphorique...
au point que Serge, replié, lui, comme Marie, sur le
Vittel, vient m'inciter à la modération en m'avouant
qu'il a versé du calvados dans le cidre !

Et moi qui suis une aquaphile convaincue... ça
m'amuse... ça m'amuse... ça m'amuse... mais quand
même, ça ne m'empêche pas d'entendre l'appel de
mon portable au fond de mon sac. Une douche froide
ne m'aurait pas plus vite dégrisée.

— Allô ! Allô !

J'ai presque crié. Le silence s'est établi aussitôt
autour de moi. Et puis... j'ai un soupir résigné que Victoria traduit aussitôt pour Gilles :

— C'est ta femme !

Gilles grimace et tendant l'oreille essaye de traduire,
lui, mes variations volontairement énigmatiques, sur
mon « Ah » de départ :

— « Ah ben ça ! » — « Ah ! là là ! » — « Ah ! dis
donc ! » — « Ah oui ! » — « Ah non ! » — « Ah !
bon ! ». Enfin, je conclus par un : « Bon courage !
Compte sur moi ! » qui ne mérite pas de figurer dans
mes œuvres complètes, mais qui suffit néanmoins
pour mettre Victoria et Gilles sur le chemin de la
vérité. C'est elle qui s'y engage, vive comme un
éclair :

— Qui a quoi, cette fois ?

— La mère de Paule a eu ce soir une crise de
coliques néphrétiques !

— Ce n'est pas la première ! grommelle Victoria... à peine plus perceptible que le grondement sourd d'un orage qui menace. Ma voix le couvre aussitôt :

— On l'a transportée à l'hôpital de Caen. Paule y est actuellement.

— La pauvre..., murmure Gilles sans qu'on puisse affirmer s'il pense à sa femme ou bien à sa belle-mère. Dans le doute, je poursuis en m'adressant à lui personnellement :

— Paule voulait vous prévenir pour que vous ne vous inquiétiez pas de son absence... au cas où vous rentreriez au manoir.

— Je comprends. Mais... pourquoi vous a-t-elle appelée, vous ? Au lieu de m'appeler moi ?

— Ben... à cause de...

Je tourne la tête vers Victoria.

Elle lève les yeux au ciel. Agacée.

Gilles, lui, regarde moins haut : vers Caen. Attendri.

— Elle a eu peur de me déranger, soupire-t-il. C'est bien d'elle !

— Ça, tout à fait ! tonne Victoria.

L'orage s'est nettement rapproché.

# Chapitre 25

« Ah ! combien sont cruels dans leurs mêmes
[alarmes
Les orages sans pluie et les douleurs sans larmes ! »
Ces deux vers d'une tragédie classique remontent
du fin fond de ma mémoire, alors que sur la plage de
Trouville, devant Le Point d'Orgue, je regarde derrière mes lunettes noires les yeux de Victoria, flam-
boyants, mais secs.

Aussitôt après ma conversation téléphonique d'hier
soir avec Paule, le brouhaha joyeux des gagnants du
hope-show s'est transformé en un silence gêné.

Victoria vient de me raconter avec un humour grin-
çant, comme s'il s'agissait d'une bande dessinée, la
suite des aventures de « queen Paulette » et de « Vic le
kid »... arbitrée par « king Gilles ». Il en ressort plus
sérieusement qu'à peine remontés dans leur chambre,
Gilles a rappelé sa femme à l'hôpital de Caen. Que
celle-ci, « admirable de compréhension », l'a dispensé
de la rejoindre, sa présence ne pouvant pas soulager sa
pauvre maman. Victoria a hésité entre deux solutions :
une résignation silencieuse ou une explosion dévasta-
trice. Elle penchait plutôt pour la seconde, quand
Gilles lui en imposa une troisième en se ruant sur elle
avec une violence inédite et, ma foi, pas vraiment désa-

gréable ; en la submergeant de mots et de gestes qu'elle ne connaissait que par les livres et qui, ma foi, lui plaisaient plus que dans les livres. Bref, en lui faisant l'amour avec la rage du désespoir... qui s'est soldée par l'ineffable douceur de tous les espoirs.

Après quoi, ils se sont endormis comme des bienheureux, autrement dit : comme des amoureux sans problème.

Après quoi, sous le coup de 8 heures du matin, Gilles a été réveillé par un problème naturel qu'il est allé résoudre dans la salle de bains... en emportant son portable. Ce qui était déjà moins naturel. Quand il en est revenu sur la pointe des pieds, Victoria, toujours au lit, avait, elle, la méfiance sur la pointe de la langue.

Il la rassura en lui disant avant même qu'elle ne lui pose la moindre question qu'il venait d'appeler Paule et qu'elle l'avait encore dispensé de venir jusqu'à l'hôpital de Caen. Mais cette fois, il n'avait pas loué son « admirable compréhension ». Non ! Il avait loué la serviabilité de Florence Frémont que Paule n'avait pas craint, elle, de déranger, et qu'elle attendait. En revanche, elle avait demandé à Gilles — si toutefois ça ne lui créait pas trop de difficultés — de passer au Manoir voir Agathe qui s'y trouvait en la compagnie pas vraiment distrayante de leurs dévoués gardiens et celle peu recommandable de Mathilde, leur dévergondée de fille.

Après quoi... Victoria, consciente de ne pouvoir lutter contre une enfant, sinon abandonnée, mais livrée à elle-même, s'était montrée à son tour « admirablement compréhensive ». D'autant plus qu'elle était persuadée à cet instant que Gilles ne resterait au manoir que quelques heures.

Après quoi... « un petit câlin » aux antipodes de leur précédent séisme sexuel les avait entraînés vers un sommeil paisible.

Après quoi... vers 11 heures, « petit papa Noël » — signal d'appel du portable familial de Gilles — avait retenti. Il avait jailli du lit comme pendant son service militaire au son de la trompette de l'adjudant. Il s'était précipité dans la salle de bains pour répondre. Le cœur de Victoria, lui, a sauté dans sa poitrine, en entendant à travers la cloison : « Oui, ma chérie... promis mon poussin... Moi aussi mon ange »...

D'accord, Gilles s'adressait à Agathe.

D'accord, Gilles avait droit d'être affectueux avec sa fille. Affectueux mais pas « fondant », comme s'il avait quelque chose à se faire pardonner... Il est vrai qu'il a toujours quelque chose à se faire pardonner.

D'accord, Gilles pouvait être content d'aller embrasser sa fille, mais enfin il n'était pas en manque ! Elle non plus. Ils s'étaient vus trois jours auparavant.

Victoria ne douta pas que ce coup de téléphone avait été télécommandé par Paule et, bien entendu, le fit savoir à Gilles... que cette idée n'avait pas effleuré. Il fut stupéfait et tenta de raisonner sa « pasionaria », vraiment trop sectaire, avec des arguments du genre : « Voyons ! Réfléchis ! Ma " pauvre Paule " est tourmentée par l'état de sa mère qu'elle adore, actuellement, je suis — nous sommes — le dernier de ses soucis ! Quant à ma " pauvre Agathe ", il est normal qu'elle s'ennuie toute seule dans cette grande baraque ! »

Victoria a explosé :

— Seule ? Ben merde ! Avec à sa disposition la voiture des gardiens pour la conduire sur n'importe quelle plage de la côte. Seule ? Avec son ordinateur, sa télé, sa chaîne stéréo, ses DVD, ses CD, ses cours de la Bourse et, en prime, la fille des gardiens toujours prête à lui raconter ses histoires cochonnes, aussi distrayantes qu'instructives !

Cette explosion a été si brusque et si violente que Gilles n'a pas eu, comme hier soir, le temps de la juguler... ni peut-être les moyens.

Il est parti pour le manoir : lassé. Malheureux.

Victoria soliloquait devant moi sur la plage de Trouville : excédée. Et... malheureuse.

Soudain, choc entre trois rondeurs : un ballon rebondit sur les fesses de Victoria. Nous nous dévissons le cou pour crier avec un bel ensemble :

— Connard !

En retour, nous entendons :

— Salut les filles !

Impertinent et flatteur en ce qui me concerne, je souris. Pas longtemps. Un long corps s'abat entre nous en nous éclaboussant de sable. Nous rouspétons. Nous recevons chacune un baiser. Nous fondons. Victoria dit :

— Salut Arnaud !

Je dis :

— Salut l'artiste !

Arnaud crie :

— Elle est folle ! Artiste ! Je ne le suis pas encore ! Vite ! Vite ! Du bois ! Il faut que je touche du bois pour conjurer le sort !

Il virevolte comme une girouette. Aperçoit une croix en bois que Victoria porte en pendentif et qui est l'exacte réplique de celle que Tanguy pressait sur sa main quand elle était dans le coma. Il se précipite dessus, la serre de toutes ses forces et, les yeux levés vers le ciel, scande :

— Artiste ! Artiste ! Artiste !

Victoria s'étonne :

— Tu es croyant ?

— Je ne sais pas bien. Mais dans le doute... moi, je ne m'abstiens pas !

J'approuve :

— Vous avez raison. Mieux vaut mettre toutes les chances de votre côté.

Arnaud se dresse, bombe le torse puis me lance, avec la superbe d'un Delon qui jouerait Delon :

— Tu sais, ma grande, tu peux me tutoyer, profites-en ! Je suis encore très simple... mais ça ne va pas durer ! C'est une occasion à saisir !

Je la saisis en m'amusant à parodier une groupie :

— Ah ! c'que t'es chouette ! J'vais être ta deuxième fan !

Tel Tarzan, Arnaud se tape sur la poitrine. Victoria intervient juste à temps pour nous éviter son cri triomphant :

— A propos comment va ta première ?

— Ma première quoi ?

— Ta première fan : la blondasse, hier soir dans la loge, avec ses flashes ; celle qui t'a privé de notre compagnie !

— Désolé, mais je ne le regrette pas ! Elle a été super... à tous points de vue ! D'abord comme geisha... Ensuite, comme journaliste.

Pour l'instant Arnaud, plus intéressé par l'efficacité de la seconde que par celle de la première, nous montre comme un trophée la page d'un journal local avec en haut une de ses photos, prise hier soir après la représentation, accompagnée de ce titre sur deux lignes : « Arnaud Toucourt, l'espoir du hope-show ».

Victoria est la première à réagir :

— Qu'est-ce que c'est que ce nom ?

— Le mien ! À moi tout seul !

— D'où sors-tu ça ?

— Pas de mon arbre généalogique !

— Mais encore ?

— C'est simple : la blondasse a tiqué sur mon nom. Le vrai. Elle m'a dit qu'il était trop long ; que sur les affiches, on ne le lirait pas facilement ; et puis qu'il était trop BCBG ; et que maintenant le bon genre, ça fait mauvais genre ! Alors, j'ai pensé à garder uniquement le prénom. Je lui ai demandé son avis sur Arnaud. Point barre. Arnaud tout court. Elle a répété : Arnaud tout court. Et là, j'ai eu l'illumination : je m'appellerais Arnaud Toucourt ! Elle a trouvé que c'était génial, facile à retenir et puis qu'en plus, ça ferait quelque chose à raconter aux journalistes qui viendraient m'interviewer !

Victoria et moi, nous nous amusons à répéter le nom sur tous les tons, de l'admiratif au hargneux ; du fabuleux Arnaud Toucourt à l'exécrable Arnaud Toucourt. Finalement, nous nous rangeons à l'avis de la blondasse : c'est un nom qui se retient. Mais nous reprochons à Arnaud de l'avoir lâché dans la presse avant d'en avoir averti...

— Maximilien mon imprésario ? nous demande la graine de vedette qui a vraiment tout pour germer...

Et qui ajoute devant nos mines effarées qu'il l'a appelé juste avant de venir sur la plage.

— Et alors ?

— Maximilien a trouvé le nom... génial, lui aussi, et m'a demandé de le rappeler dans la première quinzaine d'août afin de prendre rendez-vous pour « un briefing sur le timing de mon jingle, de mon clip et de ma promo » !

A chacun ses plaisirs : Arnaud se gargarise avec son langage caricatural de pro. Moi, je m'amuse à le cribler de questions :

— Comment as-tu eu le numéro de Maximilien ?

— Ben... par Serge : c'est son pote !

— Très juste ! Et comment sais-tu qu'hier soir, il s'était proposé de s'occuper de ta carrière ?

— Ben... par le message de papa !

— Quand l'as-tu pris ?

— Ben... après avoir pris mon pied ! Avec ma copine ! Dans la salle de bains, si ça t'intéresse !

En tout cas, ça intéresse Victoria qui poursuit l'interrogatoire :

— Tu n'as pas essayé de rappeler ton père après avoir écouté son message ?

— Ben... si ! Mais c'coup-là, c'était son portable à lui qui était fermé...

Victoria échange avec moi un regard complice qui n'échappe pas à Arnaud et qu'il ponctue d'une pichenette affectueuse sur le nez retroussé de la maîtresse de son père ! Sans plus de gêne, il nous raconte qu'une fois rhabillé, il avait rejoint la blondasse juste au moment où, encore à moitié nue, elle ouvrait son ordinateur pour transmettre à son journal son article sur le hope-show. Il avait eu le bon réflexe de lui faire écouter le message de Gilles et elle, celui de rajouter à son article un « scoop de dernière minute » : l'entrée officielle d'un inconnu parmi les célébrités de la célèbre écurie de Maximilien, rebaptisé sur-le-champ « Maximus » par sa nouvelle découverte. Ce qui leur avait valu : à elle les félicitations de son rédacteur en chef ; à lui... la reconnaissance de la blondasse !

Victoria jette un œil sur le scoop, avant de rendre l'article à Arnaud en regrettant que la dynamique journaliste signe sous le pseudonyme peu gratifiant de « la puce ».

— Je suis d'accord, dit Arnaud. Moi je lui ai conseillé de ne signer qu'avec son prénom : Aurore. C'est ravissant, non ?

— Romantique à souhait ! Et son nom ?

— Ah ça... pire que banal ! Ordinaire !

— C'est quoi ?

— Dupin.

Victoria et moi exprimons notre étonnement à l'unisson :

— Aurore Dupin ?

— Ben... oui ! C'est pas terrible, mais...

— Enfin, Arnaud, c'est le vrai nom de George Sand.

— De qui ?

— Ah non ! s'insurge Victoria, je sais bien que tu as été recalé à ton bac, mais quand même, normalement tu dois avoir entendu parler de George Sand...

Arnaud, après un louable effort de mémoire, s'écrie :

— Ah oui ! Ça m'revient ! A la télé ! Dans « Le maillon faible »... ou dans « Questions pour un champion ».

Victoria se lève d'un bond et, sur le ton solennel qu'elle a entendu dans les salons lambrissés de son enfance, me présente Arnaud :

— M. Arnaud Toucourt, maître incontesté de la culture zapping !

Il se lève à son tour et salue sans complexes. Elle en remet une couche avec le concours de Montaigne :

— Il ne sait même pas qu'il ne sait rien !

Arnaud entre dans son jeu ironico-mondain :

— Excusez-moi, chère madame, je crains que vous ne vous trompiez : la vérité n'est pas que je ne sais rien. La vérité est que je sais d'autres choses que vous !

Surprise et bonne joueuse, Victoria rectifie sa présentation :

— Maître Arnaud Toucourt, jeune et pertinent avocat de l'autodéfense, promis à un bel avenir !

Je les applaudis. Ils saluent. Beaucoup plus grand et plus fort qu'elle, il la prend par la taille et la soulève pour lui lancer en pleine figure : « J't'adore ! » Puis la repose sur le sable et arrête de sourire en entendant Victoria lui dire : « Moi, je t'aime bien ! »

197

Ces deux-là sont sur la même longueur d'onde : une grande sœur protectrice... mais pas trop. Un petit frère turbulent... mais pas trop.

Deux autres nous rejoignent, eux aussi sur la même longueur d'onde, mais dans un registre très différent : Marie et Serge. Main dans la main, ils se regardent... regarder dans la même direction. Présentement, ils viennent pour un dernier au revoir. Ils doivent rentrer à Paris : elle, elle reprend son service demain à l'hôpital de bonne heure. Lui, il va l'attendre. Il adore l'attendre.

Serge a téléphoné à sa femme qui passait le week-end dans le Larzac. Nadine était contente parce que depuis que Patrice Durtal et elle n'étaient plus fiancés, ils s'entendaient comme « larronnes en foire » ! Serge était content lui, parce qu'il espérait mais n'osait croire à cette heureuse évolution. Et Marie, elle, était contente simplement parce qu'il était content. Elle n'est pas belle la vie ? Et simple, simple comme un au revoir.

Serge et Marie s'en vont sans même faire semblant d'être tristes de nous quitter. Nous leur souhaitons : « Bonnes routes ». D'abord sur celle, encombrée, de leur retour à Paris ; ensuite sur la voie royale des couples heureux, beaucoup plus dégagée ! A peine sont-ils partis que nous voyons arriver sur l'allée qui longe la plage Hélène Vollard et Tanguy dans son fauteuil électrique. Quelques instants plus tard, nous sommes en demi-cercle autour de lui. Tout content, lui aussi, il nous raconte les cerises sur son gâteau du jour :

La première : au réveil, l'air de la mer. Le cri des mouettes.

La deuxième : son déjeuner, chaleureux, convivial avec les deux petites violonistes handicapées de Trouville, chez les parents de l'une d'elles, des mareyeurs qui lui ont donné en partant un plein panier de leurs produits.

La troisième cerise : la visite surprise d'Hélène qui est venue le chercher et lui a rapporté tous les éloges qu'elle avait entendus ce matin au marché sur la soirée d'hier et en particulier sur ses marionnettes.

La quatrième cerise... c'était nous trois par ordre non chronologique : Arnaud, moi et... Victoria.

La dernière cerise, c'était juste avant de nous rejoindre, un appel adorable de Gilles, navré de ne pouvoir être avec nous ce soir.

Victoria n'avale pas cette cerise-là :

— Gilles va rester au manoir ?

— Oui ! Tant que sa belle-mère sera hospitalisée, pour garder la petite.

— Agathe ? s'écrie son frère, crois-moi qu'elle peut se garder toute seule ! Qu'est-ce que c'est encore que cette histoire ? Je vais appeler mon père ! Et je te jure qu'il va revenir !

Arnaud cherche déjà son portable. Victoria l'arrête :

— Non, ce n'est pas la peine. Ce soir je ne serai plus là.

— Ben... où tu seras ?

Elle se mord les lèvres. C'est Hélène qui répond :

— Elle plaisante ! Elle sera chez moi ! Avec nous quatre, ici présents, plus le panier de fruits de mer que Tanguy nous a rapporté !

Victoria lui saute au cou, puis comme ce matin avec l'œil flamboyant et sec :

— D'accord ! rugit-elle, et on trinquera à la santé des absents !

# Chapitre 26

Mardi 2 août. 23 heures.

Normalement, je devrais être en Normandie et, selon le temps et mon humeur, sortir d'un cinéma ou respirer l'air de la mer le long d'une plage, ou encore, chez moi en train de survoler les vingt-cinq premiers chapitres de mon prochain roman que je compte finir en septembre, après la pause aoûtienne que je me suis octroyée. Eh bien, pas du tout !

Je suis au cœur du Marais poitevin, dans un hôtel sans autre étoile que celle du bout de ce ciel qui s'encadre dans la fenêtre de ma chambre. J'ai vue sur le grand canal... comme à Venise. Certes, ici, les gondoliers s'appellent des bateliers ; leurs gondoles, des « plates » et leurs longues perches, des « pelles », mais le lieu est aussi plein de charme. Cependant, une différence notable : le Marais revendique volontiers le titre de « Venise verte »... alors qu'en Vénétie, on ne revendique pas celui de Poitou rouge ! Soyons justes : « Que c'est triste Coulon au temps des amours mortes », même sur la musique d'Aznavour, ça sonne moins bien que Venise ! Ah ! la magie des mots ! Quel bonheur !... et quel danger ! Si on les écoutait, ils vous entraîneraient comme un rien en dehors de votre sujet... Mais soyez tranquilles, j'y reviens à plume abattue.

## Le cœur à deux places

Pourquoi suis-je dans le Marais poitevin ?

Première réponse — gratifiante pour moi : par pure amitié pour Victoria.

Depuis le départ de Gilles vers son horizon familial, au lendemain de la représentation dynamisante du hope-show, elle est mal dans sa peau. Plus justement, elle est mal dans une peau qui n'est pas la sienne : une peau d'irrésolue, c'est-à-dire un jour résolue à une rupture cette fois sans rémission avec Gilles ; et le lendemain, résolue à patienter jusqu'à la fin des vacances... et puis jusqu'en octobre... et puis jusqu'à la nouvelle année. Elle est nerveuse. Inquiète. Triste. Alors, présomptueuse, j'ai pensé que je pourrais mieux la calmer, la rassurer, la détendre qu'un Tanguy énamouré, en proie à ses propres problèmes, et je suis venue.

Deuxième réponse : je suis dans le Marais poitevin... avec ma jum', l'une entraînant l'autre. Moi, j'étais curieuse de savoir dans quelle mesure les souvenirs que j'en garde de mon enfance ont été déformés par les années. Elle, avait envie de braquer son radar sur Gilles. Elle, et moi forcément, nous l'avons toujours vu seul ou en groupe, jamais en couple. Pas plus avec Victoria qu'avec Paule. Or là, ma jum' et moi, nous allons pouvoir le découvrir avec la première, dans un contexte difficile, après une période de tension, sinon de froid. Puis avec la seconde, car nous comptons bien rendre une petite visite à ma filleule dans cette île de Ré choisie par Gilles justement à cause de sa proximité avec le Marais poitevin.

Troisième réponse, résolument intéressée de ma part : je suis dans le Marais poitevin parce que j'ai une lombalgie que je m'obstine à traiter par n'importe quelle thérapie mais jamais — hélas — par-dessus la jambe ; parce que Victoria m'a appris que

M. Rondeau, conjointement à son élevage de chèvres chic, cultivait des plantes médicinales dont il tirait des onguents choc et exerçait son incontestable don de guérisseur avec parcimonie, estimant damnable de « gaspiller un don du ciel avec des cons ! ». Il ne me restait plus qu'à espérer l'indulgence de M. Rondeau. Sainte coïncidence ! Je l'obtiens d'emblée... grâce à mon père ! Il a été, au début du siècle — l'autre, le XX$^e$ ! —, le copain de classe du père de mon hôte, à Nieul-sur-Mer, un petit village à cinq kilomètres de La Rochelle. Brusquement, je revois dans un de ces vieux albums de famille qu'on n'ose ni regarder, ni jeter, une photo jaunie : deux garçonnets au sourire contraint, en blouse grise. Un blond : mon père. L'autre un brun... son prénom, cent fois entendu dans la bouche de mon père, jaillit de la mienne :

— Auguste !

Le visage de son fils, un siècle plus tard, s'illumine.

— Oui... Auguste Rondeau.

— Je n'ai pas fait le rapprochement, quand Victoria m'a dit votre nom.

— C'est normal ! Il est courant dans la région.

— Ah bon...

— Ouais...

Nous hochons la tête, face à face avec entre nous, invisible et imposante, l'image de nos deux pères en tablier d'écolier.

Je sens que le silence va s'inviter. Je cherche à l'éloigner avec délicatesse. Alphonse, lui, le repousse avec rudesse :

— Allez, tonitrue-t-il en tournant les talons, à l'« isoloir » !

Comme l'indique son surnom, l'« isoloir » est la pièce où Alphonse s'isole avec les privilégiés auxquels il dispense ses dons et parfois — m'a prévenu Victoria

— ses discours. Situé à l'extrémité d'une longère blanche au toit de chaume et aux volets bleus — sa bourrine —, l'« isoloir » est blanchi à la chaux et meublé exclusivement d'un lit de camp aux pieds surélevés, de deux chaises de cuisine et de rayonnages où s'alignent des pots soigneusement étiquetés, contenant tisanes et onguents. Au mur, une croix en bois torsadé avec trois têtes de Christ : deux douloureuses, chacune à un bout de la traverse ; une, souriante, dans le haut du poteau.

— Tiens ! dis-je, c'est la première fois que je vois un Christ souriant, presque gai.

— Moi aussi ! Partout, Il a une tête d'enterrement ! A la rigueur, sur la croix, ça se comprend. Encore que... Il va rejoindre son Père... enfin, admettons ! Mais ailleurs, quand Il réussit ses miracles, qu'Il multiplie les pains, qu'Il apaise les eaux du lac de Tibériade, Il devrait être content ! Joyeux même !

— Logiquement, oui...

— Notez que je n'y avais jamais pensé avant que Tanguy me montre celui-là. Parce que c'est lui qui l'a fabriqué, vous savez ?

— Je n'avais aucun doute là-dessus.

— Ah... vous le connaissez ?

— Lui ? Assez mal. Son talent, ses talents de sculpteur et de marionnettiste, beaucoup mieux.

— C'est quelqu'un de bien.

— C'est quelqu'un tout court. Comme Victoria.

Alphonse approuve, mais comme il n'est pas homme à s'attendrir ou plus exactement à le montrer, il s'adresse à moi aussi rudement qu'il doit s'adresser à ses chèvres :

— Allez ! au boulot ! On se déchausse, on se déshabille, et on se couche sur le ventre !

Pendant que j'exécute ses ordres, Alphonse va à peu près sur le même ton parler au Christ souriant qu'il appelle avec bonhomie, comme un copain, « mon Grand » :

— Toi, mon Grand, dit-il en lui tendant ses doigts ouverts, j'espère qu'aujourd'hui tu vas encore me donner un coup de main, comme l'autre jour avec Victoria. Là vraiment, t'as été chouette : sa migraine, elle n'a pas résisté trois minutes.

Sans transition, Alphonse me demande :

— Vous êtes prête ?

— Oui... mais ça m'a fait tout drôle que vous me vouvoyiez... après avoir tutoyé le Christ !

— Je le connais depuis plus longtemps que vous ! me répond-il, bourru. C'est normal, non ?

— Oui... vu sous cet angle !

— Alors, on y va !

Du lit de camp où je suis étendue, je le vois tapoter sur les pieds du Christ, en Lui rappelant, avant de Le quitter, qu'il compte sur Lui !

Ensuite de quoi, décidément beaucoup moins familier avec moi, il plaque ses paumes sur mes lombaires, juste à l'endroit le plus douloureux. Au bout de quelques minutes, je lui signale que je sens une certaine chaleur dans mon dos.

— Ah ben, tant mieux ! C'est signe qu'Il est venu, dit-il en désignant la croix d'un mouvement du menton.

Tout naturellement, j'adopte sa familiarité et lui demande :

— Il ne se dérange pas chaque fois ?

— Ah non ! Il a ses têtes, le Grand ! Vous, vous devez avoir une tête qui Lui revient. Comme Victoria. Comme Tanguy !

— Pourtant... en ce qui concerne Tanguy... quand on pense à son accident, on serait tenté de croire le contraire.

— Je sais bien. Moi, le premier. Je Lui en ai drôlement voulu.

— A Tanguy ?

— Non ! Au Grand ! Je ne Lui ai pas parlé pendant quatre ans. Tout le temps que mon Tanguy a passé entre la vie et la mort, entre les douleurs et les calmants, entre les révoltes et les résignations, entre la détresse et enfin... enfin, l'espoir. C'est à ce moment-là seulement que j'ai renoué avec le Grand et du coup, Lui il a renoué avec moi ! Il devait être content parce que vraiment, Il n'a pas lésiné pour nos retrouvailles !

— C'est-à-dire ?

— La même année, primo : un laboratoire pharmaceutique est venu m'acheter à prix d'or le secret d'une de mes mixtures. Secundo, effet immédiat : j'ai pu non seulement offrir à Tanguy la « Rolls » des fauteuils roulants mais aussi aménager une embarcation qui lui permet de circuler sur les canaux du marais et de débarquer presque partout sur les rives. Tertio, après des mois et des mois d'attente, Tanguy a été admis comme pensionnaire libre à l'Association des QM et a pu, selon son vœu, vivre à Paris. Quarto, grâce aux « entraîneurs » de l'association, il a découvert les dons qu'il avait dans les mains et dans la tête.

— Et dans le cœur.

— Oui, aussi. Toujours est-il qu'en un rien de temps, il a été promu artiste ! Ce n'est pas rien ! Enfin, dernier cadeau du Grand, cette année-là, Tanguy a rencontré sa femme !

J'ai cru que j'avais mal entendu ou qu'il s'agissait d'un mot du patois local. Alors j'ai répété avec précaution :

— Sa femme ?

— Ben oui, Victoria !

— Mais...

— Ne jouez pas les innocentes : depuis le coma de Victoria, vous savez bien qu'il l'aime et il sait que vous le savez.

— Mais...

— Mais quoi ? Ils ne sont pas mariés ? Ils ne le seront sans doute jamais ? N'empêche qu'elle est sa femme. Pour toujours.

— Mais...

Alphonse Rondeau s'impatiente et balaie mes objections avant même que je les énonce :

— Mais ils ne feront jamais l'amour ? Tant mieux ! Comme ça, ils ne souffriront jamais de ne plus avoir envie de le faire ! Mais elle a un autre homme dans sa vie ? Tant mieux ! C'est stimulant ! Ça crée de l'émulation ! Ça force Tanguy à ne pas se relâcher ! Mais Victoria ne l'aime pas ? Tant mieux ! Dans la vie, c'est plus exaltant de poursuivre un but que de l'atteindre !

— Quand même... vous ne craignez pas qu'à la longue, Tanguy ne souffre de cet amour à la fois inaccessible et si proche ?

Alphonse hausse les épaules et m'envoie me rhabiller au propre comme au figuré :

— Il y a trois ans que ça dure, cette histoire-là. Regardez-le mon Tanguy, vous verrez qu'il n'a pas la tête d'un malheureux, ni d'un tourmenté. Et pendant que vous y serez, regardez-la aussi, elle, Victoria, vous verrez...

— Je verrai quoi ?

Alphonse hésite. Il réfléchit à ce qu'il va me répondre. Ou plutôt à ce qu'il ne va pas me répondre :

— Vous me direz. Je ne veux pas vous influencer.

Toute la journée, j'ai regardé. Et j'ai vu. Quoi ? Un couple en totale harmonie, où aucun des deux n'acceptait quoi que ce soit dans l'unique but d'être agréable à l'autre. Ça m'a frappée. Le plus souvent, on considère comme « bons couples » ceux où l'homme et la femme se consentent mutuellement et alternativement des concessions : « Si tu as envie de sortir, on sort. Si tu as envie de rester, je reste. » « Ce soir à la télé on regarde le programme que tu as choisi. Demain, on regardera celui que je choisirai. » « Pour les vacances ? Moitié à la montagne que je déteste. Moitié à la mer que tu n'aimes pas. » Ça, c'est un bon couple... tant que les concessions, bien sûr, ne dégénèrent pas en frustrations.

A l'évidence, Victoria et Tanguy ne fonctionnent pas comme ça : chacun fait ce qu'il aime. Seulement voilà, j'ai eu l'impression qu'ils aimaient les mêmes choses. En tout cas ce jour-là.

Quand nous sortons de « l'isoloir », Alphonse me pousse du coude et me les montre de loin. Tous les deux, installés face à face à une table de jardin, devant la bourrine, ils sont pareillement absorbés : lui, par une sculpture de sa tête à elle. Elle, par une analyse graphologique de son écriture à lui. Tous les deux sont studieux, appliqués, silencieux. Tous les deux à la même seconde perçoivent notre présence. Ils émergent de leurs ailleurs, consultent leurs montres, s'étonnent de ne pas avoir vu le temps passer, rangent avec la même minutie leurs instruments de travail — rebaptisés par eux « instruments de loisir » — et nous accueillent avec la même satisfaction :

— Alors ? me demande Victoria, le guérisseur t'a-t-il guérie ?

Alphonse s'empresse de répondre à ma place :

— Non ! Je l'ai soulagée ! Je ne l'ai pas guérie.

— Quelle chance ! s'écrie Tanguy, comme ça, vous allez être obligée de revenir !

— Après-demain, ce serait parfait ! tranche Victoria. C'est le jour où en principe Gilles doit venir ici. Ce qui te permettrait de repartir avec lui pour l'île de Ré où, je te le rappelle, tu avais l'intention de rendre visite à ta filleule.

— En plus, ajoute Tanguy sans aucune ironie, ce pauvre Gilles va avoir le moral à zéro en quittant Victoria, ça serait bien qu'il ne rentre pas tout seul en voiture.

— Et puis, tu pourrais en profiter pour le raisonner, renchérit Victoria; lui rappeler que grâce à moi, il a renoncé aux fjords pour l'île de Ré et qu'avec sa belle-mère souffrante, il devrait s'en féliciter!

— Et comment! approuve Tanguy, en cas de pépin, ce serait plus commode!

Leur duo à l'unisson se poursuit toute la journée et toute la journée m'intrigue... autant que ma jum'.

Comme m'intriguent autant qu'elle leurs effleurements, leurs contacts sans aucune équivoque mais sans nécessité non plus : la main de Victoria qui ébouriffe les cheveux de Tanguy; qui s'attarde sur son épaule; qui se pose sur sa main à lui pour comparer la longueur de leurs doigts; les pichenettes dont il ponctue ses reparties ou ses grimaces de clown; les petits coups qu'il frappe sur son coude comme sur une porte pour signaler qu'il voudrait entrer dans la conversation.

Et puis, leurs regards de connivence, leurs sourires, leurs grimaces et leurs gestes... empruntés au langage des sourds-muets qu'ils ont ensemble décidé d'apprendre, un peu pour communiquer avec les deux qui sont à l'AQM; beaucoup pour communiquer entre eux à l'abri de la curiosité des autres... et de la mienne!

Ainsi, ce soir, en me raccompagnant tous les deux à mon hôtel sur le bateau adapté au handicap de Tanguy, soudain, lui se met à l'employer en s'adressant bien sûr à Victoria. Je fais semblant de m'offusquer et le menace des pires représailles s'il ne me traduit pas ses propos. C'est Victoria qui s'en charge :

— Il voulait que je te suggère d'écrire une chanson sur l'Amitié.

— Elle est écrite, depuis longtemps ! Mais elle n'a jamais été chantée.

— Pourtant, c'est un beau thème, l'Amitié.

— Je trouve aussi.

— Tu t'en souviens ?

— Juste le premier vers.

— Qu'est-ce que c'était ?

J'accompagne ma réponse d'un sourire, même pour moi indéfinissable :

— « Il ne faudrait surtout pas que l'on tombe amoureux... »

Il y a eu un silence et puis la voix faussement gaie de Victoria :

— J'aimerais bien que tu te rappelles la suite !

# Chapitre 27

Il est 11 heures. Le ciel est plein de promesses. Ma nuit, elle, a tenu les siennes. Mon petit déjeuner m'a laissée légère et rassasiée. J'ai rendez-vous dans un quart d'heure avec Victoria. Je sors de l'hôtel avec l'intention d'aller acheter les journaux en attendant. Je tourne à droite. Je longe la terrasse du café-restaurant voisin où quelques touristes se font un devoir d'envoyer des cartes postales à leurs amis — ou assimilés — pour leur apprendre qu'ils passent de bonnes vacances, qu'il fait beau et qu'ils pensent bien à eux... eux qui travaillent, sous la pluie ! Je chante à bouche fermée « Les vieilles de notre pays ne sont pas des vieilles moroses » puis soudain, je m'arrête et entonne mon tube inoxydable : « Ça alors ! »

Je viens de voir, assis à la terrasse, devant deux expresso, Arnaud de La Rivandière — pardon : Arnaud Toucourt — et son imprésario Maximilien qui est, je me suis renseignée depuis notre première rencontre, homosexuel, roublard et efficace quand il le veut... A priori, il semble le vouloir pour le bel Arnaud... en proie à toutes les incertitudes de l'âge. D'après ce qu'on m'a dit, il aurait même l'intention de sortir pour lui son grand jeu, appelé dans le métier « le max de Max ».

Moi, je m'extasie, comme d'habitude, sur le hasard, facétieux cette fois, qui s'est amusé à réunir en plein milieu rural les trois fleurs de pavé que nous sommes : Maximilien, Arnaud et moi. Mais les rires de l'imprésario et de son poulain tempèrent mon emballement. Notre rencontre n'est pas fortuite. Elle a été voulue et organisée par Victoria. Séduite dès son arrivée par sa découverte du Marais poitevin, elle s'est étonnée que le cinéma n'en ait pas davantage exploité le charme si particulier. De là, elle a cherché un moyen de l'intégrer au futur clip d'Arnaud, prévu pour le lancement de notre chanson : « Le cœur à deux places ». Le soir même elle en a parlé à Tanguy et ensemble, ils ont eu une idée...

— Géniale ! s'écrie Arnaud qui a nettement plus d'enthousiasme que de vocabulaire et qui continue dans le même style :

— Vu qu'au départ il y a deux cœurs, on a pensé qu'il fallait deux nanas porteuses, très différentes l'une de l'autre, et deux univers, comme qui dirait, assortis aux nanas !

Maximilien relaie son protégé et entre dans les détails avec la percussion d'un professionnel de l'art de convaincre :

— Dans l'univers Marais poitevin, moi je vois une fille dans le genre « campagnard branché » : saine, appétissante, portant un tablier déboutonné d'en haut avec vue sur une poitrine « Botox aux champs », et déboutonné d'en bas avec vue sur les jambes de Noureev... en femme évidemment ! Vous voyez ce que je veux dire ?

— Très bien ! Et l'autre univers, vous le voyez, je suppose, à l'opposé : très sophistiqué ?

— Chicos de chez Chicos ! Et dedans, une créature made *in* Cartier-Chanel, fracassante de glamour et de distinction !

— Et moi, enchaîne Arnaud, on me verra alternativement avec l'une et avec l'autre, tantôt en simili bouseux, tantôt en simili dandy.

Evidemment, tout ça est assez loin de la conception initiale de mon texte, mais comme ma plume et moi en avons vu et entendu d'autres depuis nos débuts, je me contente de demander... insidieusement quand même :

— C'est Victoria qui va chanter la chanson ?

Arnaud se vrille la tempe avec son index pour me signaler mon accès de démence :

— Ben non ! me répond-il, c'est moi ! Forcément, la pop'star c'est moi ! C'est pas elle !

Je me permets d'objecter timidement que...

— C'est une chanson écrite pour une femme.

— Ouais... mais tu vas écrire une version pour homme. C'est pas bien compliqué.

Maximilien confirme et m'indique la marche à suivre :

— Au lieu qu'ce soit une meuf qui décrète qu'elle n'aime pas les cœurs à deux places, ça sera un mec qui regrettera qu'elle ne les aime pas !

J'ose encore dire que ce n'est pas aussi simple que ça en a l'air, mais je me laisse très vite convaincre par le conseil d'Arnaud... et son argument :

— Te caille pas le mou ! De toute façon, les paroles on ne les écoute pas !

Je rectifie pour la forme :

— C'est-à-dire qu'on ne les entend pas.

— C'est pareil.

Dans ces conditions... je ne discute plus et décide de ne plus me cailler le mou. Je m'en voudrais de ternir par mes ratiocinations d'un autre âge leur bel optimisme. Je serais si contente que l'idée de Tanguy et de Victoria, bien exploitée dans le futur clip d'Arnaud, se révèle sinon « géniale », mais commercialement accrocheuse. Je m'inquiète simplement de savoir s'il est toujours prévu que Gilles soit le réalisateur de ce clip.

— Bien sûr, me répond Maximilien, avec une bonne équipe technique qui le secondera. Pour la mise en scène, pas de problème ! Gilles est plein d'idées ! D'ailleurs, celles dont je vous ai parlé pour la plupart sont de lui.

— Ah... parce qu'il est au courant ?

— Evidemment ! On n'a pas arrêté de communiquer les uns avec les autres par Internet, par fax ou par téléphone. A nous cinq on a dû renflouer les télécoms !

Le dernier mot à peine prononcé, deux mains invisibles et imprévisibles s'abattent sur mes épaules et s'y agrippent comme des serres de vautour. Heureusement, en face de moi, les visages réjouis d'Arnaud et de Maximilien m'empêchent de crier.

En même temps, le museau de Victoria me souffle dans le cou :

— Tu es furieuse, hein ?

— Non, mais je suis quand même un peu étonnée que tu ne m'aies pas tenue au courant.

C'est Arnaud qui s'empresse de répondre :

— Parce que j'ai parié avec Victoria qu'elle serait incapable de tenir sa langue.

— Et sans indiscrétion, qu'est-ce que vous avez parié ?

Ma question, pourtant innocente, déclenche entre les deux intéressés un échange de regards perplexes.

— Ben...

Victoria ne laisse pas à Arnaud le temps d'inventer un mensonge.

— Ça, ça ne regarde que nous. Et ça n'a d'intérêt que pour nous.

Comme Victoria a accompagné sa phrase d'une pression discrète dans mon dos, je n'insiste pas.

A la première occasion, c'est-à-dire sur le court trajet entre la terrasse du café où nous étions et l'embarcadère où nous allons, Victoria m'apprend l'enjeu de son pari avec Arnaud. L'idée en est de lui :

— Si je perds, m'explique-t-elle, je me suis engagée à me montrer compréhensive et conciliante avec son père.

— Autrement dit : à l'accepter avec son cœur à deux places ?

— Voilà !

— Et si toi, tu gagnes ton pari — ce qui est le cas ?

— Il s'est engagé à m'offrir son père « clés en main ».

— Autrement dit, vivant seul et divorcé ?

— Voilà !

— En somme, si je comprends bien, Arnaud, d'une façon ou d'une autre, souhaite que tu restes avec son père.

— Et comme j'ai gagné, je le crois assez loyal pour défendre au maximum mes intérêts auprès de son père.

— Contre ceux de sa mère donc ?

— En vérité, il ne l'aime pas beaucoup. Surtout il n'apprécie pas qu'elle l'ait appelé avant même sa naissance le « verrou de sûreté ». Il apprécie encore moins tout ce que ça sous-entend.

— Comment a-t-il connu cette appellation, effectivement révélatrice ?

— Par sa sœur qui elle-même l'avait apprise par la fille des gardiens.

— Epatant ! Pendant qu'elle y était, elle aurait pu dire à Agathe que son surnom à elle, c'était la « bouée de sauvetage ».

— Rassure-toi, elle n'y a pas manqué ! Seulement voilà : Agathe, elle, ne s'en est pas formalisée. Au contraire, elle a trouvé que sa mère était « vachement fortiche ». Arnaud, lui, a trouvé son père « vraiment con ! ».

A l'embarcadère, Victoria avise le batelier avec lequel elle est venue, qu'elle a retenu pour nous conduire à l'endroit où nous devons déjeuner. Endroit mystérieux sur lequel je n'obtiens aucun renseignement, sinon qu'a priori il devrait me plaire.

En vérité, il m'enchante. Le nom du village m'enchante : La Garette. Le nom du restaurant m'enchante : « Les Mangeux de limas »... dans la mesure où grâce à mon Charentais de père, j'ai traduit aussitôt : « Les mangeurs d'escargots ». La salle du restaurant qui n'a rien sacrifié à la mode m'enchante. L'arrière-salle m'enchante encore davantage : il n'y a qu'une seule table, la nôtre. Et à cette table, pour nous accueillir, verre de pineau en main : Tanguy, Alphonse... et Gilles. Au-dessus d'eux, une banderole : « 9 août : Vive la Saint-Amour ! »

Mes enchantements successifs les enchantent tous. Mes étonnements aussi. Ils y ont tous participé et tous plus ou moins organisé cette surprise au cours des échanges qu'ils ont eus à propos du clip d'Arnaud. Et moi qui leur en voulais de m'avoir tenue à l'écart !

Tout est réussi : le repas et les vins du terroir qui nous sont servis, dans l'ambiance chaleureuse qui s'est imposée d'emblée et qui ne s'est pas démentie :

Entente cordiale et inattendue entre Maximilien et Alphonse.

Entente amicale et franche entre Gilles, Tanguy et Victoria.

Entente tendre et complice entre Arnaud, Gilles et Victoria.

Entente de chacun avec tous et avec moi.

Victoria, frappée par la convivialité de ces instants que d'aucuns qualifieraient d'abusive, s'en amuse à mes dépens :

— On se croirait dans un de tes romans ! s'écrie-t-elle.

— Preuve que je n'invente pas tout ! Ça existe aussi le bonheur.

Gilles m'approuve... à moitié :

— Il y a des jours avec et il y a des jours sans.

— Tiens ! s'écrie subitement Maximilien, ça me donne une idée. On devrait créer le « Molière » du meilleur jour de l'année.

Arnaud s'emballe sur cette idée, imagine que chacun de nous a eu droit une fois dans sa vie à ce Molière-là et propose que chacun raconte cette fois-là. Proposition adoptée à l'unanimité dans l'euphorie des digestifs.

Chacun s'exécute avec ses moyens. Avec sa pudeur. C'est charmant. Drôle. Touchant.

Arnaud est le dernier à parler. Son Molière du meilleur jour ? Il le décerne sans hésitation à celui de sa naissance. Il nous raconte ce jour-là, de son premier cri à son dernier pissou avec une voix de nouveau-né surdoué, irrésistible d'un bout à l'autre. On lui fait un triomphe. Notre réunion finit vraiment en apothéose.

Victoria jette un regard furtif à sa montre, puis un autre, résigné, à Gilles :

— Ça va être l'heure que tu t'en ailles ?

— Où ça ?

— Eh bien... dans l'île de Ré !

— Je n'y rentre pas. Je couche à la bourrine. Dans l'« isoloir » d'Alphonse.

Victoria pousse un hurlement de joie. Se précipite dans les bras de Gilles. Adorablement. Arnaud me glisse dans l'oreille :

— Je crois que je vais changer mon Molière du meilleur jour !

Bien entendu, j'ai la glotte qui se coince. Presque en même temps, un signal de portable se déclenche.

Deux minutes s'écoulent avant que je réalise que c'est le mien. Trois autres secondes, avant que je sorte mon portable du fond de mon sac et que j'entende Paule me débiter son entrée en matière des mauvais jours... un peu modifiée cependant :

— Pardon de te déranger, mais je n'avais vraiment pas envie de déranger Gilles dans ces circonstances.

J'attends forcément une mauvaise nouvelle, comme d'habitude. Mais pas de cet ordre-là. Pas aussi conséquente. Pas transmise par la voix vraiment bouleversée de Paule :

— Un scooter des mers a balancé la planche à voile d'Agathe. On vient de la repêcher. Les pompiers l'ont transportée à l'hôpital de La Rochelle.

Elle m'en donne l'adresse. Elle raccroche.

Je suis pâle. Le silence s'est fait autour de moi. Je tourne la tête vers Gilles encore enlacé à Victoria. Je parviens tout juste à dire :

— Agathe a eu un accident.

S'il existait un Molière de la plus mauvaise réplique, je l'aurais.

# Chapitre 28

Aussi vite qu'un soufflé qui se dégonfle, l'homme heureux que Gilles était s'est transformé en père douloureux. Arnaud a tenu à l'accompagner dans ce qui ressemblait à une fuite. Incapable de parler, en guise d'adieu, il a montré son portable à Victoria. En signe de compréhension, elle a posé la main sur son cœur. Peu après, Maximilien, lui aussi, est parti en direction de La Rochelle... et plus précisément d'Arnaud à mon avis.

Moi je suis rentrée avec les autres à la bourrine d'Alphonse. Vers 21 heures, Victoria a reçu un bref appel de Gilles : il était descendu à la réception de l'hôpital lui téléphoner pendant que Paule était restée discrètement en haut. Agathe était sur la table d'opération avec les deux jambes en morceaux et en lambeaux. On *leur* avait laissé prévoir que *leur* fille risquait de repasser sur le billard, qu'il allait *leur* falloir du courage pour *leur* permettre de surmonter cette épreuve.

Victoria n'a entendu que ces « *leur* », odieux pluriel à ses oreilles qui réunissait Gilles et Paule. Elle s'en voulait d'en vouloir à cette malheureuse enfant qui une fois encore servirait de « bouée de sauvetage » à sa mère. Elle s'en voulait d'en vouloir à Gilles qui déjà devait culpabiliser en pensant que s'il était parti, comme prévu, en croisière avec Paule, sa fille n'aurait pas été estropiée... encore heureux si elle ne le restait pas à vie... comme Tanguy !

J'ai laissé Victoria à ses exagérations, à ses dramatisations... mais elles m'ont poursuivie pendant que je regagnai « l'isoloir ». Ma jum' a eu alors la vision cauchemardesque d'une bataille de fauteuils roulants : Paule avec celui de sa fille comme bouclier. Victoria avec celui de Tanguy comme refuge.

Etendue sur le lit de camp de « l'isoloir », j'ai tourné la tête vers « le Grand » d'Alphonse. J'ai pensé aux prières que Paule et Victoria lui adressaient peut-être et qui, hormis celles concernant la guérison d'Agathe, risquaient d'être bien contradictoires : « Faites que mon mari se détache de cette Victoria... » « Faites que l'homme de ma vie se détache de sa femme. »

Pauvre Grand ! Ça ne doit pas être commode tous les jours pour Lui ! Afin de ne pas alourdir sa tâche, je me contente, moi, de Lui dire : « Faites pour le mieux ! »

Sur la demande de Victoria, je suis restée le lendemain à la bourrine. J'ai partagé ses attentes. Son impatience. Ses déceptions. Forcément ses déceptions : elle espérait au-delà du possible. D'un côté, Agathe ne pouvait pas être subitement sur pied et courir pour lui sauter au cou. De l'autre, Paule ne pouvait pas lui avoir cédé la place pour se retirer dans un couvent de carmélites ! Paule ne pouvait au mieux qu'exonérer Gilles de sa culpabilisation... au moins tant qu'Agathe lui fournirait un autre moyen de le garder. C'était d'ailleurs le cas. Arnaud par téléphone l'avait dit à Victoria... à regret. Selon ses propres termes, sa mère « la jouait irréprochable... irréprochablement ! ». Au point qu'il excusait son père de s'y laisser prendre et qu'il

préférait attendre pour lui ouvrir les yeux. Enfin...
essayer de les lui ouvrir.

Gilles a rappelé un peu avant 1 heure du matin, sûr
que Victoria ne dormait pas. Agathe, impressionnante
avec ses tuyaux, ses poulies, ses pansements, avait
enfin quitté le bloc opératoire pour une chambre de
l'hôpital. Exiguë mais comportant néanmoins une
chaise longue. Gilles avait insisté sur ce détail. Pourquoi ? Parce que... « ça va *nous* permettre, avait-il
expliqué, de *nous* relayer Paule et moi et de *nous* reposer à tour de rôle ».

*Nous ! Nous ! Nous !* Victoria peste en me relatant
son coup de fil avec Gilles. Elle ne supporte pas ces
pluriels collectifs, et encore moins qu'il n'ait pas l'air
de le comprendre. Sinon, il les éviterait. Hélas, il les
renouvelle à chacun de ses « bulletins d'information
téléphoniques ». D'après elle, les appels de Gilles
n'étaient rien d'autre que des communiqués de l'AFP,
débités avec une voix de pénitent. Parti de la Garette
en « saint Gilles de l'accord parfait », il s'était transformé à La Rochelle en « saint Gilles de la
Repentance ».

Nous avons essayé de la calmer : Alphonse avec des
décoctions concentrées de plantes particulièrement
émollientes. Moi, avec des propos, banals mais
convaincus, sur les vertus du temps qui passe. Tanguy
avec des pressions sur ses mains, comme naguère, dans
la salle de réanimation de l'hôpital Bichat. Avec aussi
des regards... Finalement, ce sont eux qui se sont révélés les remèdes les plus efficaces. Mais fugitivement.

A la fin de la journée, consciente et navrée d'être
insupportable, Victoria a souhaité se réfugier dans la
solitude, comme à chacune de ses précédentes pério-
des de crise. Ensemble, nous sommes convenus que de
bonne heure, le lendemain matin, Alphonse me

reconduirait dans sa plate jusqu'au parking où j'avais garé ma voiture. De là, je partirais pour La Rochelle... en mission d'observation, convertie en correspondante de l'AF... D !

Au cours de la soixantaine de kilomètres qui me séparait de La Rochelle, mon portable m'a joué par quatre fois le chant des sirènes. En vain. J'ai résisté. J'ai pris les quatre messages, à l'arrêt, aux portes de la ville.

Le premier message était de Gilles. Prévenu hier de mon arrivée par Victoria, il s'était débrouillé pour me loger dans *leur* hôtel, dont il me donnait l'adresse et l'itinéraire pour y parvenir. Il se disait heureux de me voir. Rassuré sur le sort d'Agathe. Inquiet de la nervosité de Victoria. Pas un mot sur Paule. Pas un seul pluriel collectif. Sa voix était celle d'un « saint Gilles de la Résurrection ».

Le deuxième message était d'Arnaud. On ne peut plus fonctionnel : « J'ai quelque chose à te dire, mais pas par téléphone. A plus ! Salut. »

Le troisième message était de Maximilien. Pas si professionnel qu'il en avait l'air : « J'ai quitté La Rochelle... Vous devriez écrire une chanson qui s'intitulerait : " Dommage ! " Je la chanterais volontiers. Ciao ! »

Le quatrième message était de Victoria : « Je sais que tu es sur la route et que tu ne me répondras pas. C'est d'ailleurs pourquoi je t'appelle. Je voulais simplement te dire que *nous* allons mieux, que *nous* pensons beaucoup à toi, que *nous* attendons avec sérénité que tu *nous* donnes des nouvelles et que *nous* t'embrassons... collectivement : Alphonse. Tanguy et moi. A tout le temps. »

A la réception de l'hôtel indiqué par Gilles, l'homme aux clés d'or qui lit le *Who's Who* dans le texte me donne avant que je le lui demande le numéro de la suite de M. et Mme de La Rivandière, puis sonne le bagagiste afin qu'il m'y accompagne et y monte ma valise.

Paule nous accueille, le bagagiste et moi, avec une aisance totalement acquise et totalement assimilée. Arnaud a raison : « Elle la joue irréprochable... irréprochablement ! » Elle prie le bagagiste de déposer ma valise sur le porte-bagages de l'entrée, lui glisse un pourboire avec une discrétion de prestidigitatrice et le congédie avec une exquise condescendance, en pensant peut-être au temps où elle aurait pu être une de ses « collègues de boulot ». En tout cas, moi, j'y pense. D'autant plus qu'elle prend un ton et une attitude beaucoup moins corsetés pour s'adresser à moi :

— Tu t'en doutes, pendant ce fichu week-end du 15 août, impossible de te trouver une chambre, pas plus à La Rochelle que dans les environs.

— Mais... il fallait me le dire, je ne serais pas venue.

— Ah non ! On est trop contents de te voir. Ça va faire diversion. Et puis, on a une solution de rechange. Et même deux ! Tu vas coucher dans cette suite, soit dans notre chambre, dans le lit de Gilles, et lui va coucher à côté, sur le divan, dans le petit salon-télévision ; soit, toi, tu irais...

Je l'interromps :

— J'ai l'habitude de fêter tous les soirs l'« independence night ». J'opte pour le divan.

Avec l'immédiate résolution de ne pas le dire à Victoria, et le réflexe, aussi tardif que stupide, de demander :

— Ça ne va pas déranger Gilles que je prenne le divan ?

— Mais... pas du tout ! me répond ma filleule avec un rien de coquetterie. Il n'a jamais beaucoup aimé être seul. A fortiori dans des moments pénibles comme ceux que nous traversons.

— Comment va Agathe ?

— Ça suit son cours. Gilles est auprès d'elle.

Suit un long panégyrique de son mari (idéal) et du père (parfait) de ses enfants. Elle se pâme successivement sur la sensibilité de Gilles qui n'a pas hésité une seconde à quitter « la fête où il s'amusait sûrement beaucoup » pour voler au chevet de sa fille.

Sur la générosité de Gilles qui, apprenant que sa belle-mère devait être dialysée deux fois par semaine, lui a proposé de s'installer à Paris, chez eux, dans la chambre d'Arnaud, puisque lui est maintenant installé dans l'appartement d'en bas.

Sur la délicatesse de Gilles qui est resté toute la matinée à l'hôpital pour la laisser se reposer et bavarder avec moi tranquillement.

Sur la gentillesse de Gilles qui m'a réservé une surprise pour le déjeuner...

— A moi toute seule ?

— Oui, moi je vais le remplacer auprès d'Agathe.

La surprise ? Ce n'est pas de voir Arnaud installé au restaurant, à la table que Gilles y a retenue : ça, je m'y attendais un peu. La surprise, c'est de constater la nouvelle et franche complicité du père et du fils. Une complicité d'hommes. Le plus mature étant peut-être le plus jeune. C'est lui qui s'empare de la conversation et la dirige :

— On commence par Agathe, nous annonce-t-il, comme ça, on sera débarrassés !

Gilles hoche la tête, plus amusé que réprobateur, et invite Arnaud à développer son sujet. Ce qu'il fait aussitôt :

— Physiquement, compte tenu qu'elle aurait pu avoir le pire, on peut considérer qu'elle a eu le meilleur du pire !

Gilles approuve et résume pour moi le bilan : la souffrance est à présent de mieux en mieux jugulée. La date du rapatriement à Paris n'est pas encore arrêtée. La durée de la rééducation est imprévisible. Comme l'est, par voie de conséquence, le retour d'Agathe à la vie normale.

— Moralement, reprend Arnaud, si pénible que ça soit pour moi de le reconnaître, ma sœur est géniale !

Derechef, Gilles approuve et résume le bilan : Agathe a décidé de poursuivre ses études par correspondance pendant un, deux ou trois trimestres, selon le cas, et a déjà chargé son père de chercher sur Internet la meilleure école afin de l'y inscrire.

Par ailleurs, elle exige : un portable avec forfait illimité pour téléphoner sans contrainte à ses copines. Une pancarte « do not disturb » sur la porte de sa chambre, rendue indispensable par le voisinage de sa grand-mère. Un à-valoir sur les dommages et intérêts que le responsable de son accident, trop heureux de ne pas l'avoir tuée, se fera une joie de verser à son père et que celui-ci placera sur un compte à part des siens, qu'elle s'amusera à gérer elle-même et dont elle disposera à sa majorité !

Je m'avoue sidérée. Gilles et Arnaud aussi. Le premier plutôt admiratif. Le second plutôt agacé. Suffisamment, en tout cas, pour nous imposer sans transition un autre sujet de conversation qui, celui-là, lui plaît beaucoup plus qu'à son père : Victoria.

— Franchement, d'homme à homme me dit Arnaud, sans doute pour me flatter, comment va-t-elle ?

— Variable : avec une accumulation de gros nuages noirs qui finissent souvent par cacher le fond bleu du ciel.

Gilles et Arnaud soupirent. L'un, accablé. L'autre, rageur.

— Je veux que vous le sachiez, me dit le père, c'est Arnaud qui m'a forcé à ouvrir le dossier et forcé surtout à ne pas le fermer. Ce dont je lui suis, en fin de compte, reconnaissant.

Gilles et Arnaud se mesurent du regard. L'un juvénilement tendre. L'autre paternellement protecteur. C'est lui qui enchaîne :

— Depuis sa naissance, papa est la proie d'un virus pernicieux : le « culpabilitus chronicus ». Victoria avec les QM a failli l'en débarrasser à plusieurs reprises. Mais chaque fois, ma mère est intervenue avec des antidotes divers et chaque fois, papa a rechuté ! De mon côté, j'ai essayé de combattre son virus avec des mots...

— Des mots de ton âge, précise Gilles, des mots de ta génération. De ton vécu à toi. Pas du mien.

— Toujours est-il que je me suis ramassé un flop... sanglant !

Gilles confirme de la tête et s'autodéfend. Plaide non coupable... pour sa culpabilité congénitale :

— Ce n'est pas ma faute. Je suis comme ça. Mais, vous savez tous les deux, je me suis renseigné : je ne suis pas le seul !

En même temps, la main droite d'Arnaud traverse la table pour s'abattre, consolatrice, sur celle de son père, et la mienne, elle, saute un couvert à poisson pour se poser, tout aussi consolatrice, sur sa main droite. Clic ! Clac ! Nous nous photographions mutuellement. Résultat édifiant : Arnaud et moi, parents émus par le chagrin de notre pauvre petit Gilles ! Nous sommes ridicules ! Quelle chance ! Nous rions. Nous récupérons nos mains et Gilles, en plus, assez de sérénité pour me dire :

— Arnaud a plaidé la cause de Victoria auprès de moi. Accepteriez-vous de plaider la mienne auprès d'elle ?

Avant que je trouve un prétexte pour refuser, Arnaud, misant sur ma curiosité, tente une manœuvre de coercition :

— Si tu acceptes d'être l'avocate de papa, je te raconterai un potin people. Cent pour cent inédit. Une affaire à saisir !

Je me doute de quoi il s'agit et en vérité, ce n'est pas au chantage d'Arnaud que je vais céder, mais à sa volonté touchante de « paterner » son père.

— Accord conclu, dis-je. Je parlerai à Victoria. Et toi, maintenant, tu me parles... de Maximilien, non ?

Arnaud m'honore d'un regard subjugué :

— Tu as deviné ?

— Evidemment !

— Moi aussi ! signale Gilles.

— Mais deviné quoi ?

— Qu'il t'a proposé la botte, je suppose.

— Ben oui !

— En échange de ses bons services, bien sûr ?

— Ça, je ne sais pas. Je ne lui ai pas laissé le temps de marchander !

Son père et moi nous le félicitons d'une même voix. Pas assez à son goût.

— Ben merde ! s'exclame-t-il, je pensais que vous seriez plus épatés que ça !

Gilles s'amuse, lui, à jouer la fatuité virile :

— Il n'y a pas de raison de pavoiser, lui répond-il, c'était sans risque : tu es le fils de ton père !

— Si, rétorque Arnaud teignard, il y avait un risque : je suis aussi le fils de ma mère !

# Chapitre 29

Pendant les 471 kilomètres qui séparent La Rochelle de Paris, Arnaud, mon « escort boy » du jour, son baladeur sur les oreilles, a prononcé trois phrases. La première à Poitiers, en soulevant un écouteur :

— Finalement... ça serait pas bête que tu me passes le volant. Ça te reposerait.

Je le lui ai passé, mais je n'ai pas mis son baladeur sur mes oreilles.

Arnaud a prononcé sa deuxième phrase aux abords de la capitale :

— Finalement... dans Paris, j'aimerais autant que tu conduises.

J'ai repris le volant. Il n'a pas repris son baladeur.

Pour sa troisième phrase, Arnaud a attendu que je gare la voiture devant chez moi :

— Finalement... c'était pas con ton idée de partir le 14 août.

— En tout cas, c'était logique : les aficionados du week-end sont déjà arrivés sur leurs lieux de loisir et pas encore repartis.

— Ouais... Mais ce n'était pas en pensant à la route que je te disais ça.

— A quoi alors ?

— A papa !

— Ah ! je vois !

— Tu vois quoi ?

— Que demain c'est le 15 août : le jour sacro-saint pour ta mère, de son anniversaire et de celui de son mariage. Et que tu n'avais pas tellement envie de les lui souhaiter.

— Et surtout pas envie d'assister à la mascarade habituelle : le repas de fête, le champagne, les vœux de longue continuation et le cadeau... évalué au premier coup d'œil !

— Pas cette année, voyons, avec ta sœur hospitalisée.

— Agathe est hors d'affaire. Elle a rempli son office. Elle n'est plus intéressante.

— Tu es un peu dur quand même.

— Ça m'emmerde à cause de Victoria : elle fait une fixation sur cette date.

— Je sais : chaque fois qu'on s'est téléphoné à La Rochelle, elle m'en a parlé.

— Et qu'est-ce que tu lui as dit ?

— La vérité : que je n'étais au courant de rien.

Le portable d'Arnaud vient me sauver de sa grogne. Je lui demande d'aller répondre dans la pièce voisine pour que je puisse, moi, prendre des messages sur mon répondeur. Nous nous retrouvons, quelques messages plus loin. Il en a reçu cinq. Il m'en rapporte deux : l'un d'Aurore Dupin, sa copine trouvillaise de la nuit du 14 Juillet — date qui dans son esprit est beaucoup plus liée au hope-show qu'à la prise de la Bastille ! Elle se rappelle à son bon — et même excellent — souvenir. « Un mois après ! C'est chouette, non ? » Elle lui suggère de l'appeler si par hasard il repassait dans la région... pour un éventuel reportage sur lui... ou plus, si affinités ! « Ça, c'est carrément génial ! » Le deuxième message était de Maximilien.

— Pour le boulot ! précise aussitôt Arnaud. Il est à Deauville. Il me dit qu'il y a dans le coin plein de gens du show-biz qu'il connaît et qui pourraient m'être utiles. Alors, bien sûr, il me demande...

— De l'appeler, si, par hasard, tu passais dans la région...

Arnaud rigole, un peu gêné, et s'enquiert aussitôt de mes propres messages... s'il n'y a pas indiscrétion. Il n'y en a pas. Pour la plupart ce ne sont que des cartes postales vocales d'amis en vacances, genre : « Beau temps-grosses bises ». Les plus personnalisées viennent du Point d'Orgue : une d'Hélène Vollard, l'autre de Serge qui séjourne chez elle avec Marie. Les deux s'informent de ma date d'arrivée en Normandie. Le dernier message, très récent, est de Paule. Elle y prend la précaution au départ de prévenir qu'il est adressé « aux deux voyageurs ». J'en préviens Arnaud et re-écoute à ses côtés : « Mes chéris, je sais bien que vous allez me téléphoner comme convenu quand vous serez à Paris, mais pendant que je suis seule je voulais vous dire à titre personnel à quel point je regrette que vous ne participiez pas à *notre* 15 août. »

Interruption d'Arnaud :

— Ça y est ! Elle remet ça avec son collectif !

Reprise du message de Paule : « J'ai l'impression qu'après le cauchemar que nous venons de vivre avec Agathe, Gilles souhaite que ce soit particulièrement réussi. Je l'ai entendu retenir, dans un des meilleurs restaurants de la ville, une table pour quatre ! Il n'a jamais voulu me dire qui étaient les deux autres : simplement, que je serais contente de les voir.

Interruption d'Arnaud :

— Des « people à fric »... son rêve !

Reprise du message : « Quant à mon cadeau... je n'ai pas réussi à savoir quoi que ce soit, mais je fais confiance à Gilles, il est tellement... »

— Con ! hurle Arnaud, couvrant la voix de sa mère qui elle, disait : « heureux ».

J'ai eu quelque difficulté à le calmer et à lui imposer peu après le silence quand Gilles m'a appelée, sincèrement inquiet de notre sort, sincèrement soulagé d'être rassuré et sincèrement malheureux d'être toujours sans nouvelles de Victoria. J'ai essayé avec l'aide de Shakespeare... et de quelques exemples intemporels, de le convaincre qu'en amour « le désir est sans borne mais que l'action est esclave de la limite ». Ce qui peut se traduire en langage moderne par : « On fait c'qu'on peut avec c'qu'on a ! » Mais je ne crois pas l'avoir convaincu. En revanche, Arnaud me convainc, lui, sans difficulté, que...

— Finalement... ça n'serait pas con non plus de repartir demain pour Deauville. Question circulation sur les routes, le 15 août... c'est comme le 14 !

— D'accord ! 11 heures ? Ça te va ?

— Ben... j'aimerais mieux 10, parce que j'voudrais que tu m'déposes au manoir, pour y prendre mon vieux scooter. Il est déglingué, mais pratique... sauf qu'il n'a qu'une place.

— Ce n'est pas forcément un inconvénient, dis-je en pensant à Maximilien.

— Non... mais ça peut en être un, me répond-il en pensant à sa « première fan ».

Et le lendemain, 15 août, je le dépose comme convenu devant la grille du manoir. Arnaud sort de ma voiture comme d'un carrosse, me remercie de « mon exquise serviabilité » comme un émule de Talleyrand et se penche pour un baisemain digne de ses ancêtres.

Dix minutes plus tard, sur l'étroite départementale où je roule tranquillement, un motard me double à toute vitesse en hurlant et klaxonnant comme un fou, plutôt comme un garçon de son âge : un garçon heureux. C'est Arnaud. La moto qu'il chevauche a été louée par le gardien sur l'ordre de Gilles.

— Génial, le paternel !

— Tu lui as téléphoné au moins pour le remercier ?

— Ouais... mais là, il a été moins génial.

— C'est-à-dire ?

— Coincé !

— Pourquoi ?

— Il était au restaurant pour *leur* 15 août, avec *leur* invité surprise.

— Il n'y en avait qu'un ?

— Ouais... ou plutôt une ! Tu devines laquelle ?

— Euh... non !

— Ce que tu mens mal ! J'adore ! Et pour te récompenser, j'vais t'dire qu'il s'agissait comme par hasard de Florence Frémont !

— Ah ? La voisine de ta mère ?

— Et surtout son « repos de la guerrière » !

Je repousse le mot... et la chose d'un haussement d'épaules et d'un réprobateur :

— Qui t'a encore raconté ça ?

— Ma sœur !

— Quoi ?

— Elle le tenait de la fille des gardiens du manoir. Laquelle ne dédaignait pas à l'occasion d'être rétribuée pour son concours... et son silence ! Silence devenu inutile depuis que j'ai tout raconté à papa !

C'est à ce genre de détails qu'on s'aperçoit que le temps, ma pauvre dame, n'est plus ce qu'il était, et à ma réaction effarée aussi :

— Tu as fait ça ?

— Ben oui ! Pour respecter le pari que j'avais fait avec Victoria et que j'avais perdu. Tu te rappelles ?

— Oui... tu t'étais engagé à lui livrer ton père « clés en main ». C'est ça ?

— Exactement ! Et j'ai pensé qu'il était utile dans un premier temps de le tenir au courant des divertissements extraconjugaux de sa femme.

— Mais quand lui as-tu dit ?

— Juste à temps !

— C'est-à-dire ?

— A la fin de notre déjeuner dans le Marais poitevin, au Mangeux de limas.

— Tu te souviens du nom ?

— Oui ! Je m'étais juré que j'y retournerais avec eux, pour fêter leurs retrouvailles... définitives ! Je me sentais tellement bien en les voyant tous les deux.

— Mais quand même, malgré cette ambiance euphorique, ça n'a pas dû être facile pour toi d'aborder ce sujet avec ton père ?

Arnaud me détrompe. M'assure que Gilles a beaucoup apprécié qu'il lui propose une conversation non pas de père à fils, mais d'homme à homme ; que lui-même a toujours regretté de ne pouvoir parler de la sorte au baron Arsène ; et surtout qu'il l'a félicité chaleureusement de ne pas avoir cédé à la mode actuelle qui consiste à aller consulter un psy pour le moindre pet de travers !

Autre détail qui me signale un certain décalage — linguistique — entre les générations et que je confirme aussitôt en m'informant, du bout des lèvres :

— Ce sont les... les interludes de ta mère que ton père considère comme des pets de travers ?

— Hélas !

— Comment « hélas » ?

— J'aurais préféré qu'il y attache plus d'importance et surtout, surtout qu'il ne s'en considère pas responsable !

— Ah, parce que comme d'habitude...

— Non ! Pire que d'habitude : il a regretté que les « modestes compensations » de son épouse soient si rares !

Je reste silencieuse. Arnaud en déduit :

— Ça t'la coupe, hein ?

Je lui prouve immédiatement le contraire en lui parlant non pas de « blé germé » à « blé en herbe » mais de « vieille copine » à « jeune copain » :

— Sur ce point précis, à mon avis, il n'y a pas égalité des sexes : je connais des femmes qui ont divorcé après avoir surpris leur mari avec un autre homme dans le lit conjugal, mais je ne connais aucun homme qui se soit estimé cocu quand il l'a été par une femme !

Arnaud réfléchit. A coup sûr, il visionne la situation. Il conclut :

— Si tu dis vrai, je n'suis pas un homme !

— Disons... pas encore !

Et pour me donner raison, il enfourche sa moto en me tirant la langue... comme un gamin et démarre sur les chapeaux de roue... comme un ado !

# Chapitre 30

Ça doit être contagieux : ce même 15 août, avec une désinvolture et un appétit de teenager, je débarque sans prévenir chez Hélène Vollard à l'heure du déjeuner. Elle m'accueille avec une joie sans âge... et les restes des repas de la veille.

Dans sa cuisine, nous picorons à la fois dans les nouvelles de nos vacances et dans les ressources du réfrigérateur.

Nous avons déjà liquidé les crudités avec les retombées du hope-show du 14 Juillet. Toutes positives. Aussi bien de la part du public que de la municipalité.

Nous avons terminé très vite une tranche de melon et une tranche à peine plus importante de l'idylle Serge-Marie, qui comme les couples heureux n'ont pas d'histoire et qu'en plus, je verrai tout à l'heure, quand ils reviendront de la plage.

Nous avons rongé jusqu'à l'os la carcasse d'un poulet et jusqu'aux regrets les remous du Marais poitevin.

Enfin, nous avons entamé l'assortiment des fruits de saison et celui des événements rochelais.

C'est ainsi que nous en sommes arrivées à évoquer la présence de Florence Frémont au déjeuner d'anniversaire de Paule, à extrapoler sur ses éventuelles conséquences : Hélène, forte de son expérience, conti-

nue à soutenir que dans un couple, le statut de la
« suppléante » est beaucoup plus valorisant que celui
de la titulaire et que, dans le cas particulier de Victoria, un changement de rôle serait « amouricide » et
entraînerait, de ce fait, une rupture définitive entre elle
et Gilles.

— D'autant plus vite, ajoute Hélène, que Victoria
souhaite pour son amour un cœur à une place mais à
deux appartements et que Gilles souhaiterait, lui, vivre
avec une femme à ses côtés et non plus vivre à côté
d'une femme.

— D'accord, mais je pense que Victoria serait si
heureuse de récupérer un Gilles enfin libre qu'elle
ferait un effort.

— Pas longtemps ! N'oubliez pas qu'effort sous-
entend contrainte, sous-entend concessions et que
notre électron libre de Victoria ne le supporterait pas.
Pas plus que notre fémino-dépendant de Gilles ne
supporterait sa solitude.

— Mais alors, Hélène, si vous avez raison, où est la
solution ?

— Dans le statu quo. Il faut que Victoria, comme
Marie, comme moi, comme tant d'autres à notre
époque, comprenne qu'il vaut mieux être deux sur une
bonne affaire que seule sur une mauvaise. Et qu'elle
comprenne aussi qu'en amour, comme dans le travail,
la concurrence est un stimulant.

Illustration lumineuse des propos d'Hélène, Serge
et Marie viennent d'entrer avec le même peignoir
blanc, le même bronzage modéré, le même sourire
qu'on peut trouver ridicule ou sublime, serrés l'un
contre l'autre... à ne pas laisser passer entre eux
l'ombre d'un doute. Image parfaite de l'amour parfait
avec dessous une bande-son... parfaite !

Serge : Qu'est-ce qu'il y a dans le frigo ?
Marie : Rien ! Ces dames ont tout mangé !

SERGE : Bravo ! Je vais sortir pour le remplir.

MARIE : Non ! *Nous* allons sortir.

SERGE : C'était un lapsus, excuse-moi ! Je me douche. Je m'habille, je t'attends ici.

MARIE : Nouveau lapsus : je me douche. Je m'habille et... *nous* arrivons ensemble en bas.
(Echange de regards que comme les sourires on peut envier ou plaindre. Reprise de la bande-son.)

SERGE : (avec un regard vers moi) Une question à cent baisers : qui a écrit « Que c'est joli Venise au temps des amours folles » ?

MARIE : (avec un sourire vers moi) La même que celle qui a écrit « Que c'est triste Venise au temps des amours mortes ».

SERGE : Question subsidiaire : « Pourquoi ? »

MARIE : Par honnêteté : pour montrer qu'un auteur est capable d'écrire tout... et le contraire de tout !

Je leur rends le salut ironique qu'ils m'adressent avec un bel ensemble.

Je les regarde monter l'escalier, toujours enlacés, moitié amusée, moitié attendrie. Je les vois, surprise, se séparer sur le palier du premier étage : elle prend la direction de ce qui était la chambre de Serge et lui continue jusqu'au second.

— Ils font chambre à part, explique Hélène, mais rassurez-vous ils s'invitent très souvent l'un chez l'autre.

— Lequel des deux a pris l'initiative ?

— Aucun. Pour chacun, cette décision allait de soi. C'est là le miracle, ils ont la même vision des choses et surtout les mêmes goûts.

— Et Nadine dans tout ça ?

— Ça c'est un autre miracle ! Elle est en vacances dans le Larzac avec Durtal... et son minet.

— Ah bon ! Et ça se passe bien ?

— Ça baigne ! comme dirait Etienne... qui, lui, n'est pas mon minet, mais mon gros chat !

— Mais encore ?

— Etienne Millet, le président de l'AQM. Depuis le hope-show, il est venu plusieurs fois rendre visite aux deux jeunes violonistes handicapées...

— Et à vous par la même occasion, si je comprends bien ?

Hélène acquiesce avec des mines de jouvencelle et doit bien regretter de ne pouvoir rougir pour m'annoncer :

— Il m'a demandé ma main.

— Rien que ça !

— Mais oui ! Il n'en a plus qu'une vous savez... alors, c'est normal qu'il ait besoin d'une épaule pour la poser... de temps en temps.

— Mes félicitations très sincères.

— Oh... c'est prématuré. Nous sommes loin encore de faire l'amitié... officiellement, comme la femme de Serge et son député.

— Ah... parce que eux, c'est officiel ?

— Quasiment !

— Et Serge, qu'est-ce qu'il dit ?

— « Pourvu que ça dure ! » Et aussi « pourvu que Durtal garde son siège à l'Assemblée ».

— Pourquoi ?

— Parce qu'il serait très ennuyé que sa femme quitte définitivement Paris pour le Larzac ; plus précisément qu'elle cesse d'être sa gérante de vie et qu'elle devienne non seulement celle de Durtal mais aussi celle de ses abeilles et de son frelon !

— Pourtant... j'ai l'impression que Serge se débrouille bien seulement avec Marie.

— Pour le moment. Parce que Serge est en vacances. C'est différent. Marie et lui s'autogèrent mutuellement. Mais ils savent que c'est provisoire. Ils savent savourer chaque instant de cette parenthèse... enjolivée par ses propres limites.

— Serge devrait vraiment essayer de l'expliquer à Victoria.

Serge nous a-t-il entendues ou pas ? En tout cas, avant le dîner, il nous annonce qu'il vient de téléphoner à Victoria simplement parce qu'on était le 15 août et qu'il savait cette date urticante pour elle. Mais exceptionnellement, pas ce 15 août-là. Pourquoi ? Parce qu'elle venait de voir Gilles. De le voir en train de la regarder avec les yeux de Rodrigue pour Chimène, de Cyrano pour Roxane, de Tristan pour Yseult... des yeux d'homme amoureux, quoi !

Ce n'était qu'une photo, prise par Serge le 14 Juillet dernier, à l'issue du hope-show, dans le jardin où nous sommes actuellement ; une photo qu'elle avait reçue dans la journée et qui était accompagnée de cette seule phrase : « De toute façon, moi, je serai au Point d'Orgue le dernier week-end du mois d'août. »

Marie est sûre que Victoria y sera aussi.

Serge espère qu'elle y sera.

Hélène touche du bois pour qu'elle y soit.

Moi aussi. Mais... je m'informe :

— Comment Victoria a-t-elle reçu ce courrier aujourd'hui ? Le 15 août, la poste ne fonctionne pas.

Serge m'expédie la réponse entre ses deux fossettes :

— C'est Tanguy qui le lui a remis en main propre. De la part de Gilles...

# Chapitre 31

Et le dernier samedi d'août, sont présents au Point d'Orgue :

Hélène Vollard : rayonnante. Parce que parmi les familiers de son Point d'Orgue, il y a aujourd'hui un petit nouveau, Etienne Millet, qui rêve visiblement de réussir son examen de passage.

Serge et Marie : circonspects. Elle, parce qu'elle a parié que Victoria allait venir mais qu'elle n'est pas sûre de gagner. Lui, parce qu'il a parié qu'elle ne viendrait pas... mais qu'il voudrait bien perdre !

Arnaud et Maximilien : joyeux. Parce qu'ils s'entendent bien. Aussi parce qu'ils ont eu à Deauville des contacts relationnels, peut-être conséquents. Parce que enfin Maximilien n'a pas perdu tout espoir de vaincre ce qu'il appelle les préjugés d'Arnaud et parce que Arnaud, lui, trouve qu'Aurore Dupin est vachement sympa de lui avoir consacré un article dans son journal et... proposé une place dans son lit... de temps en temps !

Gilles : anxieux. Parce qu'il a laissé au manoir Paule entre sa belle-mère et sa fille qui se supportent difficilement. Bien sûr avec les gardiens — dévoués —, la fille des gardiens — distrayante —, et le docteur Frémont — pluri-opérationnel —, mais quand même, il a mauvaise conscience ! Parce que aussi, parce que surtout, il attend Victoria dans une incertitude hélas raisonnable : compte tenu qu'elle n'a donné aucun signe de vie depuis le 15 août... et qu'en plus il n'est pas sûr à cent pour cent que Tanguy lui ait transmis au jour convenu la photo du 14 Juillet antidote du 15 août conjugal !

Enfin, moi : tendue. D'abord pour raison professionnelle. Parce que mon prochain roman est déjà très avancé mais que ma jum' et moi nous ne sommes pas d'accord sur la façon de le terminer. Moi je voudrais m'en tenir à la réalité quelle qu'elle soit. Elle, elle rêve d'une fin désespérée... ou carrément « trash ». Pourquoi ? Pour changer ! Elle est vraiment folle, quelquefois !

Je suis tendue aussi pour raison amicale. Parce que Victoria m'a téléphoné hier soir, aussi indécise que l'âne de Buridan. Je lui ai rappelé que celui-ci, assoiffé et affamé, était mort entre un seau d'eau et une botte de paille, faute de s'être décidé pour l'un ou pour l'autre. Parce que après m'avoir écoutée attentivement, Victoria m'a promis... qu'elle allait réfléchir et que j'attends, perplexe, le fruit de sa réflexion.

Et soudain, à midi pile, le fruit tombe... dans le portable de Gilles ! Simultanément, il pâlit. Nous nous taisons. Il dit : « J'arrive ! » Nous tendons l'oreille. Il répète : « J'arrive ! » Nous fronçons le sourcil. Cette fois, il bisse : « J'arrive ! J'arrive ! » Nous attendons la suite. Il n'y en a pas. Il fourre le portable dans une poche. D'une autre, il sort ses clés de voiture et nous lance juste avant de s'envoler :

— Elle est à Paris ! Chez elle. Chez nous. Elle m'attend. J'y vais. Pardon. Au revoir. Je vous appellerai.

Le silence compact qui suit le départ de Gilles s'écaille peu à peu. Un mot par-ci, une phrase par-là. Il

disparaît complètement avec la préparation du pique-
nique dont Maximilien a rapporté les éléments de chez
un jeune traiteur qui rêve de passer « à la télé une fois,
rien qu'une fois ! ».

Les deux absents — Gilles et Victoria — sont présents dans toutes les conversations : on pense que...
On a l'impression que... On est sûr que... Moi, à la
place de Victoria... Moi, à la place de Gilles... Moi, à la
place de papa... On les envie... On les plaint... On plaisante... On suppute... Mon imbécile de jum' me
souffle : « Il va peut-être avoir un accident ou une
crise cardiaque au volant ! » Je la renvoie. Je rejoins les
autres. Je tourne en rond avec eux. Finalement, on
décide à l'unanimité une trêve.

Hélène et Etienne optent pour une partie de
dominos.

Serge et Marie pour une sieste... au deuxième étage.

Arnaud et moi pour la plage.

Maximilien pour la télé, le portable, l'ordinateur et
le canapé !

Vers 6 heures, on se regroupe dans le living autour
de divers rafraîchissements. Je demande — bêtement,
je le reconnais :

— Pas de nouvelles ?

— Si, me répond Serge ironiquement : Marie et
moi nous allons nous promener du côté du port, histoire de voir les bateaux rentrer et les Parisiens partir !

— C'est un scoop ! me dit Marie en se levant à son
tour pour rejoindre Serge déjà sorti.

Je ne me démonte pas pour si peu et j'enfonce le
clou :

— Rien d'autre ?

— Si, me répond Maximilien en s'extirpant du
canapé où il était vautré : je vais avec Arnaud traîner
mes baskets à Deauville, du côté du casino.

— Vous jouez ?

— Oui... à rencontrer des gens qui jouent !

Impatient, Arnaud, en tenue de motard, tend un casque à son manager et lui enjoint innocemment de se « manier le train » — ce que l'interpellé fait aussitôt avec un empressement moins innocent.

Je regarde s'éloigner ce couple disparate, puis me retourne sur celui d'Hélène et Etienne, nettement mieux assorti, avec l'intention de leur annoncer mon départ, mais...

— Si ça ne vous ennuie pas de garder la maison, me dit Hélène, nous allons, Etienne et moi, rendre une petite visite aux deux QM violonistes. Je le leur avais promis.

— Ah... dans ces conditions... je vous attends.

— Je n'ai pas de scrupules à vous abandonner. Vous m'avez dit que vous ne vous ennuyiez jamais... quand vous étiez seule !

C'est vrai que j'ai dit ça à Hélène. Mais la vraie vérité, c'est que je ne suis jamais seule. Ma jum' est toujours là pour me tenir compagnie et me trouver de quoi écrire. Comme c'est le cas présentement. Me voilà avec un stylo-feutre et un bloc de papier, vautrée comme Maximilien tout à l'heure dans le canapé. Je commence à griffonner. Quoi ? Des mots. N'importe lesquels : tous peuvent conduire vers le rêve, même ceux qui traduisent les réalités les plus terre à terre. Ainsi, je commence à inscrire la liste des produits divers que je dois acheter. Puis, les coups de téléphone que je dois donner. Et puis une phrase que j'ai entendue, ou lue, une idée qui me passe par la tête. Ce qui donne en l'occurrence ce magma hétéroclite : « Guerlain. Javel. Surgelés. Plombier. Proust. Sylvie. » « A défaut de pardon, laisse venir l'oubli. » « Il faudrait pouvoir se rincer le cœur, comme on se rince la

bouche. » Version masculine de ma chanson pour
Arnaud :

Entre sans peur dans mon cœur à deux places
Il est beaucoup moins grand que tu ne crois
Regarde-le : tu verras face à face,
L'ennui pour elle et la passion pour toi.

Je cherche la suite. Ma pensée dérape. Fait l'école
buissonnière. Je m'enfonce dans le canapé et dans
ma rêvasserie. Et soudain, la voix claironnante de
Victoria :
— Ah ! les cons ! Ils se sont tirés !
J'émerge et je rectifie :
— Pas tous !
Des deux côtés : surprise. Joie. Explications. Celles
de Victoria et de Gilles sont tout à fait inutiles. Elles
sont inscrites dans leurs mains accrochées l'une à
l'autre, comme celles de Serge et Marie ; dans leurs
yeux débordant d'un bonheur incrédule, et... dans
leurs traits nettement fatigués, surtout ceux de Gilles
qui réprime mal quelques bâillements et qui avoue
qu'il s'offrirait volontiers un petit somme réparateur...
— Seul ! hurle-t-il en riant à Victoria collée contre
lui.
— D'accord ! Comme ça, tu seras en forme ce soir !
— Au secours ! Au secours ! Dracula veut me tuer !
Il fuit, jouant l'homme poursuivi par une femme
vampire. Elle le rattrape en bas de l'escalier, se plaque
contre lui, l'étouffe. Plus grand et plus fort qu'elle,
Gilles la maîtrise avec ses muscles mais surtout avec
deux mots : « Je t'aime. » Les amoureux sont effectivement seuls au monde, mais moi, je suis là, attendrie et
gênée, espérant que quelqu'un intervienne. Et
quelqu'un intervient. Sur mon portable. Je crains un
instant que ce soit Paule. Non. Mais ça risque d'être

pire. C'est son amie Florence Frémont avec le même préambule :

— Pardon de vous déranger, mais le portable de Gilles est fermé et j'aurais besoin de le joindre assez rapidement.

Victoria pâlit. Gilles se détache d'elle. Sur sa demande muette, je mets l'amplificateur de son et transmets à mon interlocutrice la question qu'il vient de me chuchoter :

— Il s'agit d'Agathe ?

— Non, elle va bien, elle. C'est Paule qui m'inquiète : elle vient d'avoir une nouvelle poussée de tension, assez alarmante.

Gilles fronce un sourcil étonné. Je traduis :

— Comment nouvelle ? Elle en a déjà eu ?

— Oui. Elle est sous surveillance depuis un moment, mais elle m'a interdit d'en parler à Gilles. Vous le connaissez ! Il s'en serait encore senti responsable ; il aurait encore stressé, comme chaque fois qu'elle a quelque chose. Et ça, elle ne le voulait pas.

Gilles baisse les yeux. Victoria ronge son frein et l'ongle de son petit doigt. J'enchaîne :

— Au cas où je pourrais joindre Gilles, je dois lui dire quoi ?

— Eh bien, sans l'affoler, dites-lui quand même qu'il rentre le plus vite possible. Moi, malheureusement, je dois rejoindre mon mari à Paris et il n'est pas prudent que Paule reste seule avec Agathe handicapée et sa mère fragilisée.

Le docteur Frémont met fin à la conversation. Mission accomplie : son message de professionnelle consciente et organisée a atteint sa cible : le coupable, résigné à l'être, en dépit de son indiscutable tristesse.

Gilles est statufié sur la première marche de l'escalier. Victoria s'est réfugiée pas très loin dans l'angle du canapé. Moi je suis debout entre eux deux, les yeux rivés sur mon portable, à la recherche d'une phrase, ni trop légère, ni trop pesante, qui détendrait l'atmosphère. C'est Victoria qui la trouve... sur le bloc où je griffonnais avant leur joyeuse arrivée :

— « On devrait pouvoir se rincer le cœur, comme on se rince la bouche. »

— Oui, dit Gilles : on devrait pouvoir... et cracher toutes les petites miettes qui s'y collent.

— Et les petites saletés aussi, crache justement Victoria.

Faute de quoi, quelle solution va adopter Gilles ?

Selon moi, il va s'en aller sans un mot. Selon ma jum', il va traîner Victoria de force dans l'escalier — façon mégère apprivoisée —, la jeter sur le premier lit venu, façon « Un tramway nommé désir » et là, là... ma jum' délire. En vérité, Gilles choisit ma solution... à deux mots près. Deux mots et demi ! Il crie deux fois « pardon ». Le troisième est brisé à la moitié par des larmes qu'il va cacher derrière la porte qu'il ouvre et qu'il claque... faute sans doute de se gifler lui-même !

Victoria vient de tomber une fois de plus de son ciel étoilé, mais cette fois, me semble-t-il, avec le parachute de l'humour :

— Ta filleule, me dit-elle, devrait ouvrir un cabinet-conseil de dépannage conjugal. Elle y préconiserait le fils « verrou de sûreté ». La fille « bouée de sauvetage ». La mère « roue de secours ». Et la copine « sonnette d'alarme ».

Comme Arnaud, spontanément, je ponctue la phrase de Victoria d'une pichenette sur son nez, puis d'un affectueux « bras dessus bras dessous ». Alors Victoria ajoute :

— Ah ! j'oubliais ! Ta filleule pourrait recommander à ses clientes en difficulté un service après choc avec une « marraine ramasse-miettes » !

— Très bonne idée ! Au cas où tu l'engagerais, la marraine ramasse-miettes, elle te proposerait une phrase, une seule, mais qui pourrait te servir peut-être de fusée éclairante.

— Laquelle ?

— « Et pourtant... " Il " t'aime ! »

Victoria éclate d'un de ces rires roboratifs dont elle est coutumière mais qui là, pourtant, me surprend :

— Qu'est-ce que tu as ?

— Tu m'as rappelé Galilée !

— Galilée ?

— Oui ! Quand il s'entêtait à dire à ceux qui ne croyaient pas à la rotation de la Terre : « Et pourtant, elle tourne ! »

— Et alors ? Il ne se trompait pas.

# Chapitre 32

En dehors de Galilée, Gilles a eu d'autres alliés.

Le premier a été Serge. Le matin même où Victoria et lui ont repris leur travail : lui, dopé par ses « hiers sans faute avec Marie et la perspective de leurs lendemains identiques » ; Victoria, la tête au nord et le cœur au sud. A quelques secondes d'intervalle, Serge est entré dans son bureau et dans le vif du sujet :

— Je viens seulement te dire ceci : « Même le caviar, en supposant que tu l'adores, tu finiras par t'en lasser. Pendant notre mois de vacances, Marie et moi, on a bouffé du caviar jour... et nuit. Ce soir, chacun de son côté, on va bouffer des nouilles à l'eau. Elle, elle va éponger les pleurs d'une copine à qui elle cachera charitablement que l'amour existe et qu'elle l'a rencontré. Moi, je vais me forcer à écouter les insipidités de ma femme, en reconnaissance des merveilleuses vacances dont je lui suis en partie redevable.

— Où veux-tu en venir ?

— Qu'au lieu de te morfondre et de ruminer chez toi ce soir, et les autres soirs, seule ou avec une copine, tu ferais mieux de roucouler avec Gilles puisque sa femme, comme la mienne, n'y voit aucun inconvénient... au contraire ! Ou de le laisser s'ennuyer lui avec elle, soit en tête à tête, soit dans ces soirées mondaines

qu'elle adore et qu'à présent, lui, exècre. Ce qui l'amè-
nerait à des comparaisons dont tu serais la première à
bénéficier.

— Peut-être...

— Sûrement ! Crois-moi : rien de tel que la nouille
à l'eau pour valoriser le caviar. Penses-y !

Victoria y a pensé. Elle s'est mise à appeler Paule
« Mme Nouille à l'eau » ou « la baronne Nouyalo de
La Rivandière ». Elle espère bien que quelqu'un va lui
répéter, à l'ex-Paulette Tonneau !

Après Serge, c'est le dimanche suivant Hélène Vollard et Marie qui ont servi la cause de Gilles. La première a abandonné Le Point d'Orgue pour une visite
d'inspection à la villa « Quand Même », charmante
maisonnette avec jardinet située à Ville-d'Avray et où
habite ce veuf joyeux d'Etienne Millet. La seconde est
en récup' pour la journée, et, avec la bénédiction de
Serge, est venue chez moi, de retour du marché,
rejoindre Victoria, elle de retour de son jogging, et
Hélène de retour de la messe.

Fortes de leur même expérience, à trente ans de distance, Hélène et Marie se sont efforcées de montrer à
Victoria le rôle essentiel et positif que peut jouer une
épouse dans la vie de la maîtresse de son mari.
Péremptoire et allègre, Hélène a déclaré tout net :

— La légitime est à la fois le yorkshire et le berger
allemand du ménage à trois. En tant que yorkshire,
elle peut tenir compagnie au maître et seigneur au cas
où la « suppléante » est indisponible pour une raison
quelconque (profession ; santé ; famille) et en tant que
berger allemand, le garder, veiller à ce qu'il ne sorte
pas et qu'il n'aille pas courir après une jeune chienne
rencontrée l'après-midi !

Victoria a été ébranlée par cet argument... auquel
cependant, après réflexion, elle a trouvé une faille :

— Mais nous aussi, les « suppléantes », nous sommes à la fois des chiens de garde et de compagnie : on distrait et on surveille leur mari.

— C'est certain, reconnut Marie. Epouses et maîtresses ont, en fait, partie liée. C'est pourquoi, moi, je suis très reconnaissante à Nadine d'être restée auprès de Serge, ne serait-ce que pour l'occuper les soirs où je suis de garde à l'hôpital et pour gérer l'intendance — ce qui m'ennuierait au plus haut point. Mais je sais que de son côté, elle m'est très reconnaissante d'avoir assagi son mari dont l'instabilité risquait à chaque instant de déboucher sur une aventure... coûteuse à plus d'un titre !

La troisième « intervenante » sur les avantages sociaux des « suppléantes » fut justement Nadine. Télécommandée par Serge, elle a rencontré « par hasard » Victoria dans la salle d'attente d'un cabinet médical où celle-ci avait réellement rendez-vous avec son généraliste et où, en revanche, Nadine, elle, n'avait pas rendez-vous avec sa copine stomato. Nadine a attaqué logiquement dans un lieu peu fréquenté par les bien-portants :

— Tu n'as pas très bonne mine pour quelqu'un qui revient de vacances. Ça ne va pas ?

— Si ! Mais... je dors mal. C'est pourquoi je suis ici. Je voudrais que mon toubib me donne un calmant. Pas un somnifère : je déteste ! Un calmant.

— Oh ! je sais ! J'en ai essayé beaucoup avant de tomber sur le seul qui soit vraiment efficace et sans danger.

— Un antistress ?

— Oui, mais sans aucune substance chimique.

— Comment s'appelle-t-il ?

— Je te préviens qu'il est relativement difficile à trouver.

— Dis toujours !

— Un amiant.

— Un quoi ?

— Un amiant !

— Un amiant ?

— Oui ! C'est un néologisme. Composé d'un amalgame entre ami et amant. Il définit un homme qui aime une femme « de toute son âme » mais qui pour une raison ou une autre (Impuissance. Homosexualité. Handicap. Mutilation) est dans l'impossibilité totale de l'aimer avec son corps.

— Un amiant ! a pensé tout haut Victoria avec devant les yeux... les yeux de Tanguy.

— Pour être honnête, le mot et sa définition ne sont pas de moi, mais de Patrice.

— Durtal ?

— Oui, c'est lui mon amiant. Et crois-moi, il a changé ma vie.

— Quand même... l'amour sans le sexe, ce n'est pas un peu frustrant ?

— Pas pour lui qui a son minet de secours à disposition. Pas pour moi non plus qui n'ai jamais bien compris pourquoi « tout ça pour ça » et qui ai découvert, grâce à lui, les charmes d'un amour... comment dirai-je ?... reposant. Oui, c'est le mot exact : reposant ! La preuve ? Je n'ai jamais aussi bien dormi que cet été, à la fois près et loin de mon amiant. Sans jalousie et sans inquiétude.

Il était temps que Nadine termine son message. Le médecin de Victoria a ouvert la porte de la salle d'attente pour appeler sa cliente.

— Dommage, a dit Nadine pour conclure sa mission, j'aurais été curieuse de savoir si cet été tu avais bien dormi... dans le Marais poitevin.

Victoria n'a pas eu besoin de cette allusion transparente pour penser à Tanguy, resté dans la bourrine d'Alphonse où il finit de sculpter le visage de son Grand, divinement souriant ! De retour chez elle, avec dans son sac l'ordonnance du médecin qu'elle déchire et dans sa tête celle de Nadine qu'elle sait par cœur, elle téléphone à Tanguy. Comme souvent. Mais pas comme d'habitude. Là, exclusivement préoccupée d'elle-même, elle lui déballe tout ce qu'elle lui a caché : son nouveau rejet du cœur à deux places de Gilles et la rupture qui s'en est suivie, ses regrets, ses hésitations, ses insomnies, son mal-être. Il n'est pas étonné : l'oreille du cœur est fine. Celle de Tanguy a entendu à distance ce que Victoria ne lui disait pas. Fidèle à sa ligne de conduite, il s'est abstenu de tout commentaire, de toute question. Mais là, il ne s'abstient pas. La voix du cœur peut être rude par moments. Celle de Tanguy l'est pour la première fois... et Victoria en est toute secouée.

— Si je te racontais ton histoire, comme étant celle d'une autre, tu dirais : « Elle est folle ou elle est con cette fille-là ? » Et je te répondrais : « Les deux, Victoria Follecon ! » car vraiment il faut que tu sois l'un et l'autre pour gâcher non seulement ta vie — encore que ça, ça te regarde — mais gâcher aussi celle de Gilles qui t'aime, que tu aimes, uniquement à cause de sa femme... qui dans le genre est vraiment ce que tu peux rêver de mieux !

— Quoi ?

— Ah oui ! Pour toi, elle n'a que des qualités. Réfléchis : elle est maligne, mais pas intelligente. En tout cas, beaucoup moins que toi, ce qui te permet de bénéficier de comparaisons flatteuses. Elle est vigilante. Elle l'a prouvé en réussissant à garder son mari, envers et contre toutes, et même contre toi. Ce qui représente pour toi une appréciable sécurité. Elle affiche une indifférence sexuelle propre à t'éviter toute jalousie et une indifférence affective, propre à alléger dans la mesure du possible les scrupules de Gilles. En outre, comme vous n'avez pas les mêmes centres d'intérêt, les mêmes loisirs, tu ne risques pas d'entrer en compétition avec elle dans un dîner en ville, dans le centre des QM ou dans le marathon de Paris ! Franchement, reconnais que des légitimes comme elle, c'est rare ! Aussi rare que des « suppléantes » comme toi qui ne briguent ni le mariage, ni l'argent, ni la maternité. Vous vous complétez. Elle le sait bien, elle. C'est pourquoi il y a deux ans, quand tu as abandonné ton poste au bout de six mois, elle t'a envoyé Arnaud avec mission de te récupérer. Pas folle et pas con, elle ! Alors, dans ton intérêt, ne le sois pas non plus. Rattrape Gilles. Il n'attend que ça... toi aussi ! Et moi, pareil. Je suis en manque !

— En manque ? De quoi ?

— De ton sourire !

Au bout du fil, elle a souri, Victoria... Victoire ! Elle va visionner un remake du procès de Gilles et Paule sur les nuages bleus de sa chambre. Elle y voit passer les avocats de la défense de l'accusé principal :

D'abord Galilée, venu en témoin lui répéter : « Et pourtant... il t'aime ! »

Alexandre Dumas, sorti de quelque alcôve pour lui rappeler que « les chaînes du mariage sont parfois si lourdes qu'il faut être trois pour les porter ». Elle s'est permis d'ajouter : « Et même quatre ! » avec un clin d'œil en direction du Larzac et du Marais poitevin.

La « Madame Nouille à l'eau » de Serge.

Le yorkshire et le berger allemand d'Hélène Vollard et de Marie.

L'amiant de Nadine.

La Follecon de Tanguy.

Le verdict est vite rendu : Paule est condamnée à la prudence à perpétuité avec recrudescence possible des attaques au moment du départ d'Agathe et en cas d'éloignement de Florence Frémont.

Gilles, en raison de son autoculpabilisation permanente, est acquitté.

Sous l'influence du juge Tanguy, Victoria écope de la peine qualifiée par elle de capitale : l'indulgence à perpétuité ! Et se voit attribuer en compensation d'importants dommages et intérêts, payables en nature par Gilles. Elle s'en réjouit à l'avance. Elle se sent enfin détendue. L'estomac enfin dénoué. Ah oui ! Tiens ! Une petite faim ! Elle se lève, va prendre dans son réfrigérateur un pot de tarama. Elle adore. Elle parodie un souvenir de son enfance : « Une bouchée pour Gilles, une bouchée pour Tanguy, une bouchée pour... »

Ding ! Un fax vient d'arriver. D'un bond, elle est dans son bureau. Génial ! Une bouchée pour Arnaud ! C'est lui le faxeur... et le farceur ! Il écrit :

« Chère madame,

« Je viens d'apprendre par le *Journal officiel* votre nomination dans l'ordre du Mérite, au grade de chevalier, ainsi que celle de mon père, M. de La Rivandière, dans le même ordre, au même grade.

« Je viens vous informer que j'ai l'intention de m'opposer à cette nomination auprès du ministère des Affaires sociales qui vous en a honorés, estimant que pas plus mon père, avec sa pusillanimité excessive, que vous, avec votre idéalisme abusif, vous n'en êtes dignes.

« Néanmoins, en raison de mes liens consanguins avec l'un et profondément amicaux avec l'autre, je suis prêt à surseoir à cette opposition. A cela, une seule condition : que vous arrêtiez vos conneries immédiatement et définitivement. »

Interruption de Victoria : génial ! Une bouchée pour le fils de Gilles. Reprise du fax :

« Pour vous faciliter les choses, compte tenu de la susceptibilité de chacun, j'ai pensé que la réconciliation vous serait plus facile, si elle avait lieu en terrain neutre, par exemple chez notre amie commune Mme F.D. et en présence de quelques familiers qui ont suivi depuis le début votre tortueux, mais beau chemin. J'ai envisagé que cette réunion informelle pourrait avoir lieu demain vendredi 26, vers 19 heures, juste avant un possible départ en week-end de l'un ou l'autre de nos amis. »

Interruption de Victoria : génial ! Deux bouchées pour Arnaud Toucourt. Reprise du fax :

« A tout hasard, j'ai déjà sollicité et obtenu l'accord de notre hôte éventuel, ainsi que celui de tous les éventuels participants, à cette éventuelle fête du Renouveau.

« Je n'attends plus que votre accord à vous, chère madame, ayant déjà reçu celui de mon père... dans un délai record. Cela dit sans vouloir vous influencer, mais quand même... »

Victoria n'a pas pris le temps d'une nouvelle bouchée pour le « génial conciliateur ». Elle lui a juste faxé en retour :

« A demain ! Victoria. »

Et le lendemain...
Ils sont venus, ils sont tous là...
Victoria et Gilles sont arrivés les premiers, main dans la main, regard dans regard, visiblement réconciliés et ayant aussi visiblement déjà programmé une nouvelle réconciliation le plus vite possible.
— Où ça ?
— Au Crillon !
— Eh ben...

— Avec dans la chambre une surprise du chef !
— Une bague de fiançailles ?
— Bien mieux : un fantasme !
— Mais à quelle heure ?
— Le plus tôt sera le mieux, tu comprends ?
Evidemment que je comprends : c'est leur fête. Pas la mienne !

Les ont suivis de très près, Arnaud radieux... et Maximilien qui n'était pas annoncé mais qui est venu, parce que, en sortant de chez moi, ils ont un dîner très important, chez un type très important, P-DG d'une maison de disques très importante.
— Mais où votre dîner ? Et à quelle heure ?
— A Saint-Nom-la-Bretèche. A 20 h 30. Pourquoi ?
— Parce qu'il est 20 heures !
— Ah oui ! Il faut qu'on s'en aille !

Ensuite, ont débarqué ensemble les quatre derniers couples attendus et inattendus. Je veux dire par là que je les attendais mais, dans un souci très relatif de bienséance, pas accouplés de cette façon-là. Pour être claire, j'attendais Serge et Nadine Vollard ; Durtal et son minet frou-frou ; Hélène et son probable amiant Etienne Millet ; Marie, assistant Tanguy.
En réalité, se sont succédé dans l'encadrement de ma porte : Marie au bras de Serge... soit !
Nadine Vollard au bras de Patrice Durtal... bon !
Hélène chaperonnant le minet frou-frou... tiens !
Et enfin Tanguy assisté par Etienne Millet... ça, c'était normal !
Après les embrassades d'usage, les exclamations en tout genre, Serge et Marie m'ont attirée dans un coin :
— Vous ne nous en voudrez pas, me dit-il, mais on ne va pas s'attarder : Marie reprend son service à

l'hôpital demain soir et d'ici là... nous avons un programme très chargé !

— Ne vous inquiétez pas : on a prévenu Victoria et Gilles.

— Ils ont très bien compris. D'ailleurs ils vont s'en aller avec nous.

— Eux aussi... ont un programme très chargé !

Nadine devait guetter la fin de notre conversation car à peine Serge et Marie m'ont-ils quittée — à regret bien sûr — qu'elle me harponne :

— J'espère que Serge vous a prévenue que Patrice et moi, nous ne pouvions pas rester longtemps.

— Ah non !

— Ah, je suis désolée ! Je lui avais demandé de vous dire que Patrice se fait un devoir de passer tous les week-ends dans sa circonscription, et que bien sûr, je l'accompagne.

— Je comprends très bien.

— Merci. D'habitude nous partons vers 5 heures. Mais Patrice voulait absolument voir Gilles.

— Ah bon ? Ils se connaissent ?

— Non, justement ! Il voulait le connaître... pour lui demander de l'introduire dans son réseau.

— Quel réseau ?

— Eh bien... son réseau, vous comprenez ?

Par chance, je n'ai pas eu besoin de répondre. De loin, Durtal adressait dans notre direction quelques signes cabalistiques que je n'ai pas compris. Nadine, si. Déjà gérante de vie, elle m'a expliqué :

— Patrice a pris contact avec Gilles... mais le courant n'est pas très bien passé... Il me charge de trouver un autre réseau. Vous ne voyez pas dans vos relations quelqu'un qui...

Mon œil hébété — néanmoins très expressif — l'a arrêtée net. La gérante de vie qu'elle a recommencé à être — à son corps consentant — est allée rejoindre son employeur reconnaissant et le « suppléant » de celui-ci qui les attendait au volant de la voiture de fonction du député.

Aux suivants !
Il n'en reste plus que cinq. Trois en dehors de Gilles et Victoria : Hélène Vollard et Etienne Millet, chacun d'un côté du fauteuil de Tanguy.
Cette fois, je prends les devants :
— Je pense que vous souhaitez partir ?
— Ce n'est pas qu'on le souhaite, me répond M. Millet, c'est qu'il le faut : j'ai oublié mes clés à l'intérieur de ma maison. J'ai réussi à joindre un de mes voisins qui en a le double... et qui s'apprêtait à partir en week-end.
— C'est miraculeux, s'écrie Hélène, il a bien voulu nous attendre.
— Grâce, enchaîne Tanguy, grâce au pauvre infirme que par sa fenêtre il avait vu monter dans la voiture de l'AQM.
Pour la première fois, je perçois un rien d'amertume dans la voix de Tanguy et surprends un rien de tristesse dans ses yeux. Mais est-ce vraiment à cause du voisin maladroitement compatissant ? N'est-ce pas plutôt à cause de Victoria et de Gilles ? De leur nouvelle version — plus cool — du cœur à deux places ? Bien sûr, il en est un des principaux artisans. Mais au théâtre, il arrive souvent qu'un auteur (ou un metteur en scène), si satisfait qu'il soit de ses interprètes, regrette un peu de ne pas être à leur place. Alors, pourquoi pas dans la vie ? Pourquoi pas Tanguy ?
Par association d'idées et d'images, je lui demande :
— Où en êtes-vous de votre Christ souriant ?
— Au sourire justement. C'est le plus difficile !

Ils sont partis. Ne sont plus là... Sauf Victoria, tiraillée par Gilles. Dans un ultime et louable élan d'altruisme, elle me demande sur le pas de ma porte :

— Et toi ? Qu'est-ce que tu vas faire pendant le week-end ?

— Travailler.

— A ton roman ?

— Oui, j'espère le terminer.

— Ah ! chouette ! Tu sais comment au moins ?

— Depuis tout à l'heure seulement.

— Alors, comment ça finit ?

— Comme ça.

— C'est-à-dire ?

J'ai pointé mon index et mon regard sur Gilles qui manifestement s'impatientait. Il m'a obéi au doigt et à l'œil : il est venu clore le joli bec de Victoria avec un baiser vraiment digne d'un cœur à une place. Comme quoi !

Quand Victoria a été en mesure de me répondre, je lui ai demandé :

— Alors, à ton avis, comment est-elle la fin de mon roman ?

De loin déjà, elle m'a crié :

— Géniale !

Ma jum' n'a rien trouvé à ajouter.

Cet ouvrage a été composé et imprimé par la
SOCIÉTÉ NOUVELLE FIRMIN-DIDOT
Mesnil-sur-l'Estrée
pour le compte des Éditions Plon
76, rue Bonaparte
Paris 6$^e$
en janvier 2006

*Imprimé en France*
Dépôt légal : janvier 2006
N° d'édition : 13981 – N° d'impression : 77109